LA GRANDE
AVALANCHE

Patrick Breuzé

LA GRANDE AVALANCHE

Roman

Production Jeannine Balland
Romans Terres de France

PRESSES
DE LA CITÉ

© Presses de la Cité, 2005
ISBN 2-258-06590-9

Un homme, ça peut être détruit, mais pas vaincu.

Ernest HEMINGWAY

*A la mémoire de mon grand-père,
Jean Guillaume Baudic, blessé trois fois,
en quatre années de guerre.*

AVANT-PROPOS

Aucun des personnages de ce roman n'a existé. Seuls les noms des lieux, des sommets, des villages et des hameaux sont vrais, de même que le contexte historique.

Pour le reste, tout n'est que fiction. Il n'en demeure pas moins que durant la Première Guerre mondiale des faits comparables se sont produits. Survenus dans d'autres régions des Alpes, ils ont été relatés par la presse de l'époque et ont été repris, plus tard, par des historiens. Dès lors, ils appartiennent à l'histoire.

1

Samoëns, Haute-Savoie, été 1917

Un pas, un autre, le crissement de ses semelles sur les cailloux du ballast, ce furent là les seules sensations qu'Adelin Jorrioz éprouva en sortant de la gare. Hormis un vieux cheminot qui le salua, le pouce sous la visière de sa casquette, personne ne le reconnut.

« C'est mieux ainsi », pensa-t-il en continuant de chiffonner l'intérieur de la poche de sa capote bleu horizon. Depuis une heure que ses doigts malmenaient le tissu, il en était devenu humide et mou. Après, ce fut sans y penser qu'il passa les bretelles de son sac, les équilibra avec des moulinets des épaules et partit d'un pas lent et appuyé. A chacune de ses foulées, il percevait le balancement de son bagage, une sorte de métronome à courroie de cuir dont l'une frottait douloureusement sur le pansement de son dos.

Arrivé à hauteur du pont du Clévieux, il s'arrêta pour regarder par-dessus le garde-corps. A cet endroit, l'eau reprenait son souffle après les grandes descentes des Fontaines et des Moulins. Elle était calme et lisse, seulement parcourue de friselis blancs qui serpentaient entre les galets. L'air du matin ne s'était pas encore défait des odeurs de la nuit. Il le respira à petits coups puis en aspira de longues goulées comme on s'enivre du parfum d'une lettre longtemps attendue. Un air au goût de sous-bois et de pierraille. Le goût de sa terre. Le goût de chez lui.

Tout à ses pensées, il n'entendit pas l'homme venir à lui :

— Tu ne serais pas le fils Jorrioz, des fois ?

La voix était d'ici. Ça s'entendait à sa façon de ne pas aller au bout de certains mots.

— Ça se pourrait.

— Je viens de la gare, c'est là qu'on m'a prévenu.

— Prévenu de quoi ?

— Que tu rentrais de l'hôpital, pardi.

Figé, la main sur la bretelle de son sac, Adelin Jorrioz avait beau chercher, il ne trouvait pas de nom à mettre sur ce visage. Une face plate, des yeux tombants, un menton fendu, avec des poils comme des touffes d'herbe au revers d'un talus. Pas vraiment une barbe, plutôt une jachère laissée à l'abandon le temps de retrouver l'envie de se raser.

— Tu me remets pas ? s'étonna l'homme.

— Ma foi... hésita Adelin.

— Foron des Pleignes, Jean Foron.

La précision fut inutile. Des noms et des visages, Adelin en avait tant croisé sur les champs de bataille de l'Argonne, de la Somme ou des Vosges, oubliés pour la plupart, cruellement gravés pour quelques autres. Pour ne pas le froisser, il fit mine de se souvenir et serra la main qu'on lui tendait.

Petit et maigre, l'homme n'était qu'une simple silhouette au torse plat et aux épaules tombantes. Il garda longtemps la main d'Adelin dans la sienne, la secouant et la pressant, puis s'approcha un peu pour demander, pas très sûr de ses mots :

— Paraît que tu pourrais m'aider...

— En quoi faisant ? répondit Adelin, un brin de soupçon dans la voix.

L'homme était vêtu d'habits sales et usés. Sa veste, un torchon de drap gris, luisant aux poches et le long des coutures ; son pantalon, une loque serrée par une ficelle en guise de ceinture. En croisant son regard, Adelin crut y lire de la détresse.

— Comme tu me vois, j'sors de l'hôpital, expliqua Adelin d'un ton arrangeant, y a deux jours j'y étais encore. Je suis là que pour quelques jours de convalo.

Le petit homme hocha la tête en signe d'approbation et poursuivit :

— J'le sais, c'est pour ça que je t'ai couru après.

Et il ajouta :

— On a bien dû te laisser des médicaments à l'hôpital.

— Pour la douleur, oui.

— Alors ça devrait aller, fit-il en accompagnant sa remarque d'un hochement de tête.

Devant l'étonnement d'Adelin, il enchaîna :

— C'est mon fils, le petit, qu'en a besoin.

Et il se tordit les mains et les bras pour montrer de quoi souffrait l'enfant. De la bouche, il mima un rictus, mâchoires ouvertes et lèvres tordues. Un reste de pitié au fond des yeux, Adelin le laissa faire avant de dire :

— C'est un docteur qu'il te faut, pas un blessé.

— Les toubibs, y sont mobilisés depuis longtemps.

— Et les piqueuses ?

— Les sœurs ? Pareil, on les a réquisitionnées pour les hôpitaux.

— Et Poirel, le rebouteux ?

Un ancien forgeron, estimé autant que redouté. Son domaine se limitait aux tours de reins, entorses et membres démis. Pour le reste, les fièvres quartes, tierces ou continues, c'était affaire de chance, de circonstances et de hasard. Quant aux humeurs, sang, bile et autres, il n'y touchait pas, même s'il s'aventurait parfois à quelques conseils rarement suivis d'effets.

— Il est passé hier au soir...

— Et alors ? questionna Adelin.

L'autre se contenta d'un haussement d'épaules. Avant de se résigner, il fit une dernière tentative pour convaincre Adelin de lui céder un reste d'onguent ou un cornet de poudre, quelque chose dont il espérait tout, à défaut de pouvoir encore compter sur quelqu'un.

— Mais toi, insista-t-il d'une voix fêlée, t'as bien dû les voir faire à l'hôpital, tu dois savoir t'y prendre.

— Tu parles, s'entendit répondre Adelin comme on prononce une sentence, ce que j'ai vu et rien c'est du pareil au même.

Tout était dit. Les deux hommes se regardèrent avec au fond des yeux un immense voile d'impuissance. Et puis, comme il aurait tout aussi bien pu saluer et s'en aller, Adelin mit un genou à terre et ouvrit l'une des sangles de son sac.

L'autre ne comprit pas tout de suite. En le voyant sortir une fiole de verre, ses paupières battirent. Une fois, une deuxième, et, au troisième battement, Adelin annonça, la fiole levée dans la lumière pour en vérifier le contenu :

— Du laudanum, c'est contre la douleur.

— On en donne aux petits ?

— Je peux pas te dire. C'est puissant, c'est tout ce que j'sais.

Ils s'étaient accroupis tous deux. Les bras sur les genoux, les mains pendantes, à part Adelin qui tenait toujours sa fiole, le pouce sur le bouchon.

— Tu ouvres comme ça, montra-t-il, après tu verses quelques gouttes, directement dans la bouche.

— Combien ?

Adelin réfléchit un instant comme s'il effectuait de tête un calcul à plusieurs chiffres. Puis hésita avant de dire :

— J'en sais rien. C'est pas en gouttes que ça se compte, tout dépend de la douleur.

L'autre acquiesça. Son mouvement de tête n'avait rien d'un accord, seulement une façon de partager l'ignorance qui, brusquement, les unissait.

— Tu comprends, poursuivit Adelin, on peut pas savoir à l'avance. Je me suis vu des fois en vider une demi-fiole, d'une traite.

Les yeux sur ses brodequins, le petit homme approuvait. Ses lacets, simples morceaux de ficelle noués entre eux, n'étaient passés que dans les derniers œillets de ses souliers. Au moment où il s'en aperçut, Adelin s'entendit lui proposer :

— Viens, on va y aller les deux. Tant qu'on l'a pas vu, ton gamin, on peut pas décider.

Les Foron habitaient une maison bâtie en fond de pré, presque dans la forêt. Une masure grise flanquée d'une cave creusée à même la butte. L'assise était en pierres du Giffre, taillées sur les deux faces et assemblées au mortier pauvre. Au-dessus, tout était de bois. Les murs en étaient bardés sur toute leur hauteur, longues planches, grises par endroits à force d'affronter le gel et la pluie, brunes et fauves pour celles exposées au sud et au levant. Sur le toit, les tavaillons étaient empilés en écailles, avec, posées dessus, des pierres plates et de longs troncs de sapin servant d'arrête-neige. Les gouttières, elles aussi, étaient en bois : des troncs effilés, fendus en deux et évidés à cœur, débordant largement de chaque côté de la toiture.

— C'est moi, annonça l'homme en passant de biais entre le chambranle et la porte.

Et à l'adresse d'Adelin, plus large que lui, il ajouta :

— Soulève, sinon elle grince.

Une recommandation superflue. A peine entrebâillée, la porte laissa échapper un long filet plaintif ponctué de plusieurs petits sons.

La pièce sentait le froid humide. Une odeur d'abandon. Une sorte d'haleine grise échappée du sol et des murs. On la percevait à cette épaisseur de l'air quand il n'arrive pas à respirer. A cette pauvreté de la lumière. Aux relents de terre battue, inhabituels pour une maison dont le sol était de pierre.

— C'est là, murmura l'homme en soulevant de la main une toile de chanvre faisant office de rideau.

Sur sa paillasse, l'enfant était prostré. La bouche tordue comme l'avait montré son père, la respiration sifflante. Plus grave encore, son corps semblait arqué, reposant sur la nuque et le haut des fesses. Peut-être sur les talons. D'où il était, Adelin ne pouvait mieux voir. Il s'approcha et découvrit une femme assise dans l'ombre, au bord du châlit de bois, un chapelet entre les mains.

— Faut le faire respirer, murmura-t-il, il étouffe.

La femme resta de marbre. Alors, sans attendre, Adelin passa ses mains sous le petit corps noué comme une corde et l'emmena dans la grande pièce, sous la fenêtre. C'est là qu'il vit ses yeux tout près des siens. Deux éclats de houille brûlant d'une lumière noire. Un regard comme il en avait vu des centaines. Il savait ces instants d'avant la mort, ces longues minutes où se dénouent un à un les fils de la vie.

— La table, ordonna-t-il, poussez-la devant la fenêtre et ouvrez en grand.

Sur ce lit de fortune, fut roulée une couverture pour la glisser sous la tête de l'enfant. Puis on suspendit un linge devant la fenêtre pour filtrer la lumière.

— Ouvre aussi la porte pour faire courant d'air, demanda Adelin au petit homme resté en retrait.

Il n'y avait dans ses gestes ni précipitation, ni maladresse. Adelin était là pour faire ce qu'il croyait utile. Quand il posa le corps à même le bois, il sentit la peau dévorée de fièvre. L'enfant ne grelottait même pas, comme déjà insensible aux effets du mal.

Adelin plongea la main dans son sac pour en sortir la fiole. Ignorant la posologie tout autant que l'effet du laudanum sur ce mal, il laissa couler deux gouttes entre les lèvres ouvertes. Son pouce s'écarta de nouveau, libérant encore une goutte, puis deux, puis davantage. Il ne lui semblait pas être dans l'erreur en agissant de la sorte. Si Dieu avait décidé de rappeler cet enfant à lui, au moins que cela se fît sans souffrance.

Le petit corps le regardait de ses yeux brillants, le torse toujours en arc de cercle. Sans rien d'autre que cette lueur immobile au fond des yeux.

— Vous avez du vinaigre ? demanda-t-il brusquement.

— Sur l'étagère.

— Frottez-le avec, la poitrine d'abord, les membres après.

En débarrassant l'enfant de ses frusques sales, Adelin remarqua un pansement sur son pied.

— C'est quoi ?

— Il s'est blessé en jouant dans les éboulis, expliqua l'homme. Une grosse entaille...

— Quand ça ?

— Quinze jours.

— Plus que ça, rectifia la femme de derrière le rideau.

— Y avait des bêtes à proximité, des mulets ou des chevaux ? s'inquiéta Adelin.

— Ceux du charretier, il est presque tous les jours à déblayer.

— Seigneur Dieu, souffla Adelin se parlant à lui-même, le tétanos.

Et en même temps, il entreprit de soulever le pansement pour juger de l'état de la blessure.

Ce n'était pas une entaille mais une boursouflure. Les lèvres de la plaie avaient bourgeonné, laissant apparaître des chairs violacées, couvertes de sanies. Des filaments blanchâtres rampaient comme de jeunes racines, souillés de caillots, baignés d'humeurs.

Sachant l'importance de sa décision, Adelin hésita. Autant là-bas, au front, les gestes se faisaient dans l'urgence, sans peur des conséquences, autant ici il se sentait incapable d'agir face à des parents démunis et crédules. Ce que son esprit ne voulait pas, ses mains l'entreprirent pourtant. Lentement, comme on le fait avec un fruit mûr, il écarta les chairs pour les fouiller du regard. La peau était chaude, lustrée, tendue à se fendre. Le corps parcouru de soubresauts se cambrait par instants. Seuls les yeux restaient fixes, toujours les mêmes dans leurs éclats de nuit.

A ce stade de la maladie, Adelin se savait impuissant. Il avait bien vu, aux premiers temps de la guerre, des infirmiers appliquer sur les plaies de la charpie remplie d'asticots pour qu'ils se gorgent de chairs putréfiées et assainissent ainsi la blessure. Mais ici, devant la détresse d'un père et d'une mère, la force lui manquait, même d'en parler.

Près du lit se trouvait un tabouret de bois à trois pieds. Quand il posa son sac dessus, le cliquetis des boucles réveilla le silence. Le petit homme était là, bras ballants, le dos un peu voûté. Sa femme, figée dans une attitude propice à toutes les prières, vibrait de l'intérieur. Parfois, ses lèvres et ses yeux trahissaient son murmure. Adelin chercha dans son sac et en sortit une bouteille à long goulot, une sorte de fillette en verre blanc.

— De l'eau oxygénée, je m'en sers pour décoller mes pansements, dit-il.

L'autre fit oui de la tête, bien que la logique lui échappât.

— Ça dissout les caillots, précisa Adelin. A l'hosto, on nettoie les blessures avec...

Ses paroles semblaient ricocher contre le visage fermé du petit homme. Sa voix était forte pourtant quand celui-ci demanda :

— Y te faut un linge propre ?

— Pas la peine. On va verser directement dedans, montra Adelin.

Au contact du produit, une mousse blanche se forma sur les lèvres et au fond de la plaie. Du regard, le père essaya d'interroger les yeux de son enfant. Au bord de ses paupières, des débuts de larmes étaient suspendus comme des glaçons à des broussailles quand il demanda

— Y souffre pas, au moins ?

— Pas plus qu'avec de l'eau.

— Mets-y encore un peu, alors.

Adelin versa quelques gouttes supplémentaires, sachant pourtant l'inutilité de son geste, avant de préciser :

— La bouteille, je vais te la laisser. T'auras qu'à faire comme moi, une fois toutes les heures.

— Et toi, tes pansements ?

— T'inquiète pas, j'y ferai avec de l'eau bouillie.

Le petit homme hésita puis, dans un geste inhabituel pour lui, s'empara de la main d'Adelin et la serra dans les siennes. Sa poigne était franche, avec quelques pressions plus fortes par instants, comme pour exprimer tout ce qu'il ressentait. Son haleine poivrée se mêla à celle d'Adelin, quand il s'approcha pour dire :

— J'ai pas de quoi te payer, mon gars, pas pour le moment.

Adelin voulut rassurer, dire plus tard, dire jamais. Mais, comme tout à l'heure en descendant du train, ses mots lui échappèrent. Son regard s'affaissa. Il les savait là, pourtant, tapis dans le brouillard de sa pensée, mais incapables de passer le verrou de ses lèvres.

Sans en comprendre l'origine, il sentit monter en lui un trouble : les mots n'étaient pas seuls à se dérober, il lui sembla qu'il en était de même pour ses sentiments. A peine les percevait-il qu'ils s'évaporaient.

D'une tape sur l'épaule, Adelin rompit l'échange. Tout à ses remerciements, le petit homme ne s'aperçut de rien. Il promit de donner des nouvelles, de monter à la ferme dans les jours prochains. Convaincu des effets du laudanum et de l'eau oxygénée sur la maladie de son fils, il semblait reprendre vie, tout d'un coup.

Il voulut raccompagner, proposa son aide pour les foins, mettant en avant sa petite taille et son habileté sur les lanches pentues. Parvenu au croisement des deux routes, Adelin lui adressa encore quelques recommandations sur la façon de s'y prendre avec le laudanum puis s'engagea sur le chemin menant à la ferme de ses parents.

2

La ferme des Jorrioz était une grande bâtisse sombre, construite un peu à l'écart du hameau des Allamands. L'assise, toute de pierre grise, lui donnait des allures de fortin. Une impression encore renforcée par l'étroitesse des fenêtres et l'épaisseur des contre-forts de murs, larges comme des piliers de pont.

Au-dessus, le bardage de bois montait d'une traite jusqu'au toit. Du bois brun, presque noir par endroits. A la différence de nombreuses fermes de la vallée, les linteaux de porte et de fenêtres n'étaient ni travaillés, ni guillochés. Seules les deux galeries à barreaux de bois donnaient à l'ensemble un soupçon de légèreté.

Comme partout, l'entrée se faisait par la courtine, sorte de petite cour carrée, enchâssée dans le corps du bâtiment.

Parvenu devant la ferme, Adelin s'arrêta. Bien qu'il refusât de se l'avouer, il redoutait cet instant. Il avança d'un pas, se pencha pour regarder par la croisée à petit-bois, une sorte de fenêtre pas plus grande qu'un livre ouvert, connue ici sous le nom de « jour ».

L'air sentait la poussière de foin. Les joints entre les dalles du sol en étaient pleins, les toiles d'araignée aussi, lourdes de leurs longs fils pelucheux. La main sur la poignée, Adelin s'apprêtait à pousser de l'épaule quand la porte s'ouvrit d'elle-même.

Dans l'embrasure apparut une femme. Le corps était ce que l'on voyait en premier, grand, massif, d'une seule pièce des épaules à la taille. Une nature, disaient les femmes du pays. Une nature dont le visage semblait plus fin. En le voyant, on l'imaginait modelé dans de la porcelaine blanche, quelque chose de doux et de lisse à la fois. Et tout en haut de la tête, un chignon poivre et sel tire-bouchonné comme un fétu de paille.

— Te v'là donc, dit la mère d'Adelin, les bras grand ouverts, prête à toutes les embrassades et à tous les épanchements.

— Comme tu vois...

Adelin se laissa faire, répondant d'un mot ou deux aux questions à peine entamées, tronquées d'effusions et d'éclats de voix. Pour sa blessure, il s'efforça de rassurer. Pour les séquelles, il resta évasif. Peu convaincue, sa mère fit un pas en arrière et le soupesa du regard :

— C'que t'as fondu...

— Penses-tu.

— T'es maigre à perdre un os.

— C'est la fatigue, mentit Adelin, j'ai voyagé toute la nuit, mal assis dans un compartiment de troisième.

— Bonté, si j'étais pas tenue ici par la besogne, j'irais leur donner la main aux cuisines des hôpitaux.

— Ça manque de rien, essaya d'expliquer Adelin.

Sa mère ne l'écoutait plus.

— S'ils sont pas foutus de vous nourrir, moi j'leur montrerai.

Elle grondait plus qu'elle ne parlait, sans cesse à s'essuyer les mains tantôt dans son tablier, tantôt dans les pans de sa grosse robe grise. Pour un peu, elle aurait tout plaqué pour se mettre au fourneau et montrer de quoi elle était capable. Dans cette colère de façade, elle trouvait matière à espérer, comme d'autres dans la prière ou le recueillement. Elle, c'était le travail, et spécialement celui des casseroles et du fourneau, qui la réconfortait.

Elle disait vrai pourtant, Adelin avait maigri. Aux poignets et aux épaules, les os saillaient. Sur le cou et les mains, les veines et les tendons couraient comme des racines.

Le torse, jadis bombé, n'avait plus cette vaillance que donnent les muscles en mouvement. Adelin demeurait fort, mais son corps avait séché.

Seul son regard demeurait inchangé. Ses orbites restaient les mêmes, sombres et larges avec, au fond, deux éclats de glace bleue. Ce qui lui valait tout à la fois autorité, respect et séduction. Pareil pour son sourire, long à s'ébaucher, mais franc et clair une fois installé.

— Assieds-toi donc, ordonna sa mère, écartant du bras les quelques objets posés sur la table.

— Et le père ? demanda Adelin, un peu surpris de ne pas l'avoir rencontré sur le chemin.

— Il t'attendait au Pied du Crêt.

— Pas vu.

— Y a bien trois heures qu'il est parti pourtant, dit-elle en jetant un coup d'œil vers la grosse comtoise en mélèze.

Adelin expliqua alors son détour par la maison de l'enfant malade, la mauvaise plaie, le tétanos peut-être et l'issue prévisible. Sa mère écoutait, souffrait pour les autres, endossait la peine et les espoirs de ceux qu'elle connaissait.

Et en même temps, elle remuait son feu, l'attisait, faisait sonner les ronds de fonte tout en coupant en quartiers une pyramide de pommes de terre entassées à portée de main. Dans les cliquetis des louches et des écumoires, personne n'entendit la porte s'ouvrir.

Le père d'Adelin était le contraire de sa femme, long de membres et sec de corps. Ses bras étaient comme des branches sur un tronc, terminés par des mains impressionnantes. Du poing, il pouvait jadis briser un empilage de dix planches posées entre deux pierres. C'était aux fêtes de pays, c'était avant. Aujourd'hui, à plus de soixante ans, il en imposait encore. Au jeu du marteau, notamment. Coincé entre l'index et le majeur, il pouvait tenir une massette de six livres, bras tendu, pendant plus de dix secondes. Un défi que beaucoup voulaient relever, au risque de perdre les quelques pièces mises en jeu et de ravaler leur vanité.

Le père d'Adelin portait une veste de drap noir et un pantalon rayé. Aux épaules et sur ses flancs il y avait de la poussière, aux genoux, de la saleté. Adelin s'en aperçut tout de suite. Déjà en lui donnant l'accolade comme il avait coutume de le faire, il avait trouvé sa mise débraillée. La mère n'attendit pas longtemps pour venir aux nouvelles.

— Tu te serais pas encoublé dans les éboulis, quand même ?

L'homme fit mine de regarder ses vêtements, les épousseta de la main, comme il l'eût fait pour chasser une bestiole, avant de répondre :

— Tu crois pas si bien dire.

Adelin observait son père. Il ne l'avait jamais vu ainsi, contracté, tout noueux, comme si la vie l'avait brutalisé. Assis au bord du banc, il avait les genoux serrés, les épaules tombantes. Presque vieux déjà. Adelin s'arrêta sur les mains, deux énormes battoirs aux ongles cernés de noir. Deux mains dont les phalanges étaient écorchées en plusieurs endroits.

Lorsqu'il sortit pour se laver au bachal, ce tronc de sapin creusé et alimenté en eau par un chéneau de bois, Adelin se leva pour le rejoindre.

Le père, un visage osseux avec des veinules rouges sur le nez et les pommettes. Le fils, les joues et le menton noircis par un semis de barbe, dure et noire comme ses cheveux. Au-delà des différences physiques, c'était le même regard sur la montagne qui les unissait. Une religion à eux où tour à tour l'un et l'autre étaient maître et novice. Le père n'avait jamais été guide, mais nourrissait en secret l'espoir de voir son fils le devenir. Ce que l'un n'avait pu faire, l'autre le réaliserait.

Adelin attendit que son père eût fini de se laver les mains pour lui lancer :

— Ça m'étonnerait que tu sois tombé dans les éboulis.

Ils ne se mentaient pas, du moins pas sur l'essentiel.

— Qu'est-ce qui te fait dire ça ?

— Tes mains... elles saignent du dessus, pas du dessous.

— Ma foi, admit le père en retournant ses paumes, quand tu tapes tu sais pas toujours où ça porte.

Adelin l'observait, l'œil en maraude.

— Une histoire de rien, rassura le père, les yeux toujours baissés, un jeune brasse à merde qui m'a mal parlé.

— Parlé de quoi ?

— De la guerre, de là-bas. Un embusqué qui fait le commis au café de Lucienne. Et la nuit, y doit pas faire que le commis, c'est moi qui te le dis.

— Et alors ? s'inquiéta Adelin.

— Alors... il a récolté, voilà tout.

— J'le connais ?

— Y vient du sud. Réformé, qu'il dit, à cause de ses trois doigts crochus.

Crochus. Adelin répéta le mot plusieurs fois en hochant la tête, pensant à tous ceux qu'il avait vus défiler dans les postes de secours et les hôpitaux de l'arrière, les membres déchiquetés, broyés ou arrachés.

— Il se fait appeler la Pince, poursuivit le père, en souvenir de son ancien métier, chaudronnier ou fer-blantier, on sait pas trop. Toujours est-il qu'il se vante de pouvoir tout porter entre ses deux doigts valides.

— C'est pas une cause de fâcherie ?

— Le reste, ça me regarde, trancha son père en finissant de se sécher les mains sur le devant de son pantalon.

Puis, une fois ses manches rabaissées, il demanda d'une voix plus grave, presque oublieuse de ce qu'il venait de dire :

— Pour ta convalescence, y t'ont donné combien ?

— Cinq semaines...

— Et après ?

— Après, j'y retourne.

3

Le pêle était la grande pièce où l'on vivait. A table, Adelin s'installa comme à l'ordinaire, face à sa mère. Depuis toujours, son père occupait le bout de table, place réservée au maître des lieux quels que fussent le nombre et le rang des visiteurs. En l'absence de leur fils, l'idée de s'asseoir face à face ne les avait jamais effleurés. Dans cette immobilité des choses, l'un comme l'autre puisaient un réconfort secret dont ils ne parlaient jamais.

Des deux fenêtres tombait une clarté blanche qui vernissait les dalles avant d'aller se perdre dans les recoins ombreux. Tout le reste était vêtu de noir.

Plus souvent debout qu'assise, la mère d'Adelin invoqua l'émotion pour justifier son repas sans relief. Une simple soupe de raves et de pommes de terre, préparée à la hâte, blanchie au lait et liée d'un peu de fromage frais. Pour le soir, elle promit de mettre un carré de porc à dessaler, de préparer une soupe aux sept herbes, peut-être un matafan cuit sur les braises. Toutes choses dites surtout pour parler et s'occuper. Et sans cesse, elle se levait pour tisonner son feu, malmener ses ronds de fonte et ses culs de casserole. Il lui fallait du mouvement, des paroles et des sons, pour être sûre d'être à sa place et de bien tenir son rôle dans la maison.

Les hommes, eux, mangèrent avec des bruits mouillés, cassant de temps à autre des morceaux de pain dans leur soupe. Leurs pensées étaient ailleurs. Ils avaient beau se regarder, échanger quelques coups d'œil à la dérobée, ils savaient que l'essentiel restait à dire. Quand son assiette fut vide, le père la repoussa et s'éclaircit la voix. Puis, se retournant, il attrapa une bouteille de sorbe et deux petits verres sur l'étagère de la crédence avant de demander :

— Alors, ça s'est passé comment, au juste ?

Adelin avait depuis longtemps préparé ses mots :

— Ça aurait pu être pire, fit-il avec un mouvement d'épaule.

Le père garda les yeux baissés, les faits lui importaient plus que les mots.

— J'ai quitté l'infanterie, on m'a versé dans l'aviation.

— C'est ce qu'on a compris.

— Fallait des volontaires... poursuivit Adelin, des gars sachant s'y prendre avec les cordes et faire des nœuds, c'est ce qui m'a décidé.

— Les cordes, ça te connaît, mais les avions ?

— Pour tout dire, on n'a pas d'avions, expliqua Adelin, nous, c'est les dirigeables.

Devant l'étonnement de son père, il saisit son verre et l'éleva au-dessus de la table.

— Là, t'as les Boches, fit-il en traçant du doigt un trait sur le bois, de l'autre côté c'est nous et plus loin derrière l'artillerie. On se met là avec les dirigeables, précisa-t-il en déplaçant son verre un peu en retrait de la ligne de feu.

— Bon Dieu, grogna le père, remonté tout autant contre la guerre que contre son ignorance.

Adelin se mit alors à raconter : comment il s'installait dans sa nacelle d'osier, lui à l'arrière et un sous-officier à l'avant du dirigeable. Le danger moins grand que dans les tranchées, la nécessité de tendre des cordes jusqu'au sol, attachées à des trains de chevaux ou à des engins chenillés, le rôle de l'officier, les calculs de trigonométrie, comment ils s'y prenaient pour transmettre leurs observations aux servants d'artillerie.

— C'est bien beau, tout ça, mais quand les Boches vous repèrent ? s'inquiéta le père.

Il avait levé les yeux. Un regard bleu acier, avec le haut un peu plus sombre et, tout au fond, comme un voile. Une lueur qu'il essayait de dissimuler en battant des paupières. Une peur chaque jour plus grande qui l'infectait depuis des mois au point de tout envahir, le corps comme l'esprit. Il se revit arpentant la place, à guetter le maire, son regard, ses gestes, sa sacoche et ses mains. Des fois qu'il tînt une enveloppe annonçant le pire. Des fois qu'il sût mais n'osât pas dire. Une litanie de jours tous semblables s'additionnant les uns aux autres sans répit ni soulagement.

— C'est rare qu'ils nous tirent dessus, lâcha Adelin, ils ont autre chose à foutre.

— Suffit d'une fois, t'en sais quelque chose.

Adelin aurait voulu dire la vérité, mais s'obligea à la taire. Le dirigeable en feu, le sous-officier se débattant dans sa nacelle et lui le flanc taillé par un éclat d'obus, la descente le long de la corde, ses mains brûlées. Et puis plus rien, la nuit sourde et le battement lent de la vie qui s'échappait.

— C'était après un pilonnage, on repérait les batteries d'en face.

— Repérage ou pas, t'as bien failli y rester.

Une nouvelle fois Adelin ravala ses mots. Il ne pouvait parler de ces champs couleur de boue, jonchés de corps, de ces visages sans vie qu'il devinait depuis sa nacelle, les yeux tournés vers le ciel, des blessés qui l'appelaient le bras tendu, espérant l'impossible, et toutes ces capotes plates comme des sacs enveloppant des corps que personne ne viendrait plus chercher.

Tout le temps que dura l'échange, la mère resta plantée devant son fourneau à brassière. De son robuste corps, rien ne bougeait, ni les hanches, ni les épaules. Ses tourments étaient muets.

— Est-ce que tu manges à ta faim, au moins ? finit-elle par articuler, les larmes au bord des yeux.

Adelin connaissait ses tourments, mais était impuissant à les effacer. Il rassura, comme dans chaque lettre, comme chaque fois que sa mère demandait en espérant autre chose que des réponses. L'attente devant les roulantes, les litres de café, les bidons de vin, la mauvaise gnôle et le pain véreux. Et puis les quelques lucarnes ouvertes sur la vie pendant les repos quand le fourrier dénichait un coin de paille, parfois de vrais lits, du vin en bouteille ou quelques volailles.

Brusquement, le père se leva et repoussa sa chaise comme bouillant d'une colère rentrée :

— Bon Dieu, j'ai oublié le four à pain, doivent avoir fini à c't'heure.

— Vous ne cuisez plus ici ? s'étonna Adelin.

— On fait chacun son tour, ça coûte moins de bois.

— J'peux y passer, proposa Adelin, je dois faire viser mon livret à la gendarmerie.

Le père parut contrarié. Ça se voyait à sa manière d'enfiler sa veste, brutale et précipitée. La main sur le loquet de la porte, il lâcha :

— Tu me retrouves au champ d'Armand. On essaie de dégager les gros blocs qu'ont roulé avec la coulée de pierres.

En arrivant au village, Adelin repéra de loin une silhouette, adossée au four à pain. Sidonie était une femme dont l'âge se comptait depuis longtemps en septantes. Son corps n'était qu'une tige, un peu arquée au creux des reins, osseuse aux épaules et aux hanches, une tige de bois dur et à l'écorce toute fripée.

— C'est donc toi ? demanda-t-elle en s'approchant, plus très sûre de ses yeux, ni de sa mémoire rapiécée.

La main tendue comme on le fait dans le noir, elle fit quelques pas. Une main aux os saillants. Une main douce pourtant qui se posa d'abord sur le revers de la veste, puis glissa vers la chemise. Près du cou, elle s'arrêta, n'osant pas toucher la chair.

— C'est donc toi, confirma-t-elle avec un hochement de tête, les yeux inquiets, impatients de savoir si une mauvaise nouvelle n'était pas au rendez-vous.

Adelin se pencha vers elle. Econome de mots et de gestes, il se contenta d'un simple effleurement contre sa joue. Il savait que la vieille femme ne demanderait rien, ne dirait rien de son inquiétude de savoir ses deux petits-fils dans les tranchées des Vosges.

Après un instant, il se détacha d'elle et, les yeux loin des siens, lâcha comme une excuse :

— Des nouvelles, j'en ai pas, Sidonie. Ça fait plus de deux mois que j'suis plus au front.

La vieille femme laissa son regard tomber au sol, croisa son châle noir sur sa poitrine sans relief et se signa bien vite.

Arrivé devant le four, Adelin s'arrêta et se pencha pour mieux voir. Assis sur la margelle, plusieurs vieux tous pareils dans leurs habits de nuit semblaient sommeiller. Alphonsine leva les paupières. De son petit visage serré dans un bonnet gris, elle commença par fureter autour d'elle. Ses yeux, deux grands puits de lumière ouverts sur le ciel, comprenaient vite. Sa pensée était plus lente à s'éveiller. Quand tout fut rangé dans sa tête, sa bouche s'ouvrit, d'où jaillirent des mots qu'elle voulait tendres :

— T'as pas changé, mon gars, t'as pas changé.

Les autres acquiescèrent. Seul Anatole resta la tête basse. Pour avoir vécu la défaite de Sedan, il savait que les guerres rongent toujours de l'intérieur. Il ne dit rien, goûtant avec les autres le plaisir de voir revenir l'un des fils du village, l'un des premiers à être partis au soir du 4 août 1914.

Adelin serra les mains, pressa les bras et les épaules. Il croisa les regards aussi. Des regards impatients de savoir, inquiets d'entendre. Une nouvelle fois, il raconta : l'hôpital, les salles communes, les nouvelles, souvent fausses, parvenues du front, les lettres perdues ou égarées, les colis. Des mots sans valeur, sans poids ni saveur.

Quand tout fut dit, il chercha à détourner le cours des mots en se penchant vers la gueule du four :

— Elle est pas tant mal, votre chauffe...

— Ma foi, fit Anatole.

— Vous y brûlez quoi ?

— De tout, on n'est plus bien riches en bois, tu sais.

— Et le fournier, c'est qui ?

— On y fait à plusieurs, poursuivit Anatole avec un haussement de sourcils.

Et de ses longues mains jaillies de ses manches, il raconta comment ils charroyaient le bois à trois ou quatre à l'aide d'une carriole. Comment ils l'entassaient quelques jours avant sur le côté du four. Comment ils préparaient la chauffe...

— L'écoute pas trop, coupa Alphonsine, il dit plus qu'il n'en fait. Il a toujours usé plus de mots que de sabots.

— Comment ça ? s'insurgea le vieillard, les mains levées et les manches à mi-bras. T'étais encore à la messe qu'on y était déjà.

Puis, découvrant que personne ne plaiderait en sa faveur, il ajouta avec cette évidence altière propre au bonimenteur :

— Moi, ce que j'en dis, c'est ce que j'ai fait.

— Ton père est descendu leur donner la main, glissa Alphonsine, comme à chaque fois.

Adelin écoutait, regardait, vibrait de ces petits riens qui font la vie. Son visage semblait moins dur, moins fermé qu'au sortir de la gare.

— Cette histoire de coulée de pierres, ça s'est passé où, au juste ? demanda-t-il.

— La première est venue de la Pointe du Tuet. Puis après, de la Chaumette.

Alphonsine susurrait ses mots. Des mots pointus qu'on eût dit effilés par l'étroitesse de son visage.

— Ça s'est produit en pleine nuit, précisa-t-elle. Ma sœur m'a raconté, un chambard de tous les diables. Y a que l'oratoire qu'est resté debout.

Elle s'arrêta un instant, hésitante, comme apeurée par ce qu'elle s'apprêtait à dire :

— Si c'est pas un signe de Dieu, ça, fit-elle en hochant la tête, la main posée sur son cou, vieux reste d'une coquetterie à laquelle elle n'avait jamais renoncé.

Sa phrase avait creusé un vide.

— Ça se pourrait bien que ce soit une année à avalanches, hasarda la vieille Sidonie.

— C'est pas une avalanche, mais une coulée de roches, rectifia Anatole, revanchard.

— Qu'est-ce que ça change ? Chez moi, on a toujours dit avalanche tant pour la pierre que pour la neige. Quand ça se décroche et que ça tombe, c'est une avalanche.

En parlant, elle regardait vers la montagne comme pour y trouver les preuves de ce qu'elle avançait. A court de mots, elle annonça :

— Si elle a passé, elle repassera, c'est sûr. Demain ou dans dix ans. Le drame, c'est que ça peut nous emporter comme de rien, ces affaires-là.

Pour rompre le silence, Adelin proposa son aide pour défourner. En bras de chemise, il avança sous la voûte du four. Une à une, les boules de pain furent sorties, placées dans les panières puis alignées sur la margelle.

Adelin n'eut pas à chercher. Chaque miche portait une marque de maison, signe familial apposé sur le pain, le beurre, les outils ou les stères de bois. Comme il l'avait vu faire durant des mois devant les cantines roulantes, il entailla d'un coup de couteau chacune des miches qui lui revenaient pour l'enfiler sur un morceau de ficelle. Là-bas, les hommes faisaient ainsi avec une sangle ou une bretelle pour éviter aux pains de rouler dans la boue.

Quand il sortit de sous la voûte, quatre regards le crucifièrent en même temps. Les yeux ronds, la bouche ouverte, la vieille Sidonie interrogea :

— Tu perces le pain, maintenant ?

— Pour le porter, oui.

— Ça se fait pas, marmonna-t-elle, le menton tremblotant et les yeux apeurés.

— La belle affaire…

— C'est pas très chrétien, tu sais, ajouta-t-elle dans un filet de voix.

Chacun se tut, embarrassé. Ce geste, ils auraient aimé qu'il ne fût jamais fait et ces mots jamais prononcés. Car, plus qu'un signe, c'était à leurs yeux une prémonition.

4

Après avoir fait viser ses papiers à la gendarmerie, Adelin passa au café de Lucienne. A cette heure de l'après-midi, il était vide. Vide de clients, vide de chaleur. Les chaises étaient retournées sur les tables, le rideau de perles aux trois quarts baissé. On se serait cru un jour d'obsèques quand passe le cortège et s'interrompent les discussions, le temps de saluer la mémoire du défunt. Certains en profitaient pour vider leur verre d'un trait. Cela s'appelait « briser les os du mort », manière de lui rendre hommage une dernière fois.

— J'peux m'asseoir ? demanda Adelin, la main posée sur un pied de chaise, prêt à la remettre à terre.

— Je sers qu'au bar, répondit une voix de fausset de derrière le comptoir.

La voix n'était pas taillée dans le même patron que le personnage. Un torse de taureau, des épaules et un cou tout d'une pièce. Un visage de rougeaud avec une pauvre petite moustache en balai qui se tordait pour laisser passer les mots.

— C'est fermé ou ouvert ? insista Adelin.

— Je ferme quand ça me chante et là, justement, j'étais sur le point...

— Ben, t'attendras, lui rétorqua Adelin en posant sur une table ses miches de pain toujours tenues par leur ficelle.

Profitant de ses mains libres, il remit deux chaises sur pied d'un seul mouvement. L'autre parut suffoqué qu'on lui tînt tête. Devant une situation visiblement peu courante, il se donna le temps de réfléchir puis s'essuya les mains dans un torchon avant de les poser sur son comptoir, menaçant :

— Tu chercherais des ennuis que tu t'y prendrais pas autrement.

— Sers toujours, lui répondit Adelin sans se démonter, du blanc et du bon.

— Y en a pas.

— Et ça ? fit Adelin en désignant du menton une étagère en épi où étaient alignés litres et bouteilles.

— C'est pour les clients, pas pour les gars de passage.

— Ça tombe bien, je suis un client de passage.

— Te fous pas de moi ou je t'esquinte, glapit le rougeaud, d'une voix ridicule qui dérapait sous l'effet de la colère.

La salle était tout en longueur, divisée par deux rangées de tables de bois dont les plateaux étaient auréolés de cercles laissés par les pieds de verre. Une douzaine de tables en tout, rectangulaires pour la plupart, autour desquelles on s'asseyait jadis devant un déci de gnôle, un café passé ou un blanc limé. La décision de la patronne d'engager un commis avait surpris. Au début, elle avait fait face, tempêtant contre les rumeurs vipérines, défendant l'honneur de son mari mobilisé au 101ᵉ territorial, puis peu à peu avait baissé les yeux adoptant cette attitude commune aux femmes qui consentent en secret.

Le rougeaud sortit d'un bond de derrière son comptoir, un litre à la main, un verre à pied dans l'autre. De la poche de son gilet dépassait un manche de corne. Tire-bouchon ou couteau, Adelin ne put en juger.

— C'est de l'ordinaire ou rien, fit-il en posant son litre en bout de table.

C'est là qu'Adelin vit sa main. Trois doigts repliés dans la paume, et les deux autres dont il se servait habilement, comme d'une pince, pour tirer le bouchon.

— Dis voir, demanda alors Adelin, t'aurais pas un petit coup de chauffe dans tes bouteilles ? Ça doit bien vous arriver de distiller, par ici ?

— Ça peut te foutre ?

— De la racine, sûr que t'en as, poursuivit Adelin en lorgnant vers le mur où étaient alignées plusieurs bouteilles aux contenus lumineux, couleur de gentiane, de sorbier, de marc ou d'autres alcools dont on taisait les noms.

— Pourquoi pas du schnaps pendant que t'y es ?

— Justement, sers-moi z'en un coup, ça réveillera des souvenirs.

— Ecoute-moi bien, fit le rougeaud le doigt pointé sur les miches de pain, tu vas récupérer ton collier et déguerpir d'ici vite fait.

Debout, les bras le long du corps, son torse paraissait plus épais encore. Sûr qu'il n'était pas fait que de muscles. Adelin pensa au lard de phoque servi aux premiers temps de la guerre, à son goût écœurant et au jus gras qui restait entre les dents.

— Alors, ça vient ? exigea-t-il.

L'autre sentit son sang partir à la vitesse du lait sur le feu. La main tendue, il avança pour flanquer les miches à terre. Il n'en eut pas le temps. Adelin l'attrapa par un pan de son gilet et l'empala sur son genou levé à hauteur d'estomac. La bouche arrondie telle une tanche hors de l'eau, il tenta de porter ses deux doigts à la poche de son gilet.

— Crevure, cracha Adelin tout en lui remontant violemment le bras derrière la nuque.

Au bruit sec que fit l'articulation, le rougeaud s'arrêta net, hérissé de douleur et de trouille. Sa grosse face était plaquée sur le bois de la table. De sa bouche et de ses narines jaillissait un bruit de soufflet. De ses yeux, de la haine mêlée de peur.

— Ça c'est pour t'apprendre à te battre à la loyale... asséna Adelin en forçant encore un peu plus sur le bras.

Le rougeaud haletait, le visage luisant d'une sueur épaisse, aussi malsaine sans doute que ses pensées du moment. La bouche écumante, il réussit à glapir :

— Pétard, t'es louf ou quoi ?

Placé comme il était, il n'eut pas le temps de voir venir le coup qui écrasa les doigts de sa main valide.

— Et ça pour te faire passer l'envie de t'en prendre aux vieux.

Adelin s'était servi du plateau de la chaise pour taper. Aussitôt, une boursouflure de l'épaisseur d'une tranche de lard apparut sur les phalanges. Affalé tel un sac en train de se vider, le costaud n'avait pas résisté à la douleur. Dans un bruit mou, il glissa au sol, entraînant dans sa chute plusieurs chaises auxquelles il avait vainement essayé de se rattraper.

A la remontée, Adelin passa, comme convenu, par le champ d'Armand. C'était un pré-bois où l'herbe poussait en abondance. Dès avril, on y menait les bêtes avant d'emmontagner durant les mois d'été. Une sorte de grande clairière cernée de feuillus, des frênes, des charmes et beaucoup de hêtres qu'on appelait ici fayards.

Au-delà, on changeait de monde. De la terre, on passait à la roche. Dès que la pente s'accentuait, s'élançaient les silhouettes sombres des grands épicéas. Raides et fiers, ils défendaient de leurs piques noires leur royaume de troncs immobiles.

Des crinières ondulantes, des moutonnements vert foncé, des arbres par milliers qui serraient les rangs tels des grenadiers en carré. Loin d'eux, quelques silhouettes solitaires tentaient de survivre en agrippant leurs racines à une roche qui ne voulait pas d'eux.

Plus haut encore, c'était le domaine des roches et des vents là où la pluie tombait souvent, rabotant le calcaire, le taraudant sans cesse. A la longue, l'eau finissait par s'infiltrer, goutte après goutte. L'hiver venu, le gel se mettait à l'œuvre. De fêlures en brisures, la montagne se fendait et un jour s'effondrait.

Adelin s'arrêta pour détailler le versant d'où était partie la coulée. Une ride d'étonnement lui barrait le front. Du regard, il parcourut les veines de la paroi comme un médecin le corps d'un malade. Après un temps, il s'avança pour se mettre à l'aplomb d'un grand couloir encombré d'un monceau de blocs noirs.

— Bon Dieu, souffla-t-il, c'est tout resté bloqué dans la pente.

Du regard, il évalua l'amoncellement de roches menaçant de dévaler. Des milliers de tonnes. Un chaos gigantesque suspendu au-dessus du vide. Quelques pointes de roches, quelques éclats brisés suffisaient à retenir l'ensemble. Qu'un rocher vînt à céder et c'était toute une partie de la montagne qui allait s'effondrer.

— On avait bien besoin de ça, fit de loin le vieil Armand en arrivant à pas pesants.

— Ça menace encore dans le couloir.

— T'as rien vu, coupa le vieil homme, par là-haut c'est pire.

— Où ça ?

— Faut y voir pour y croire, ajouta-t-il, entraînant Adelin par le bras vers le haut de son champ.

L'homme se préoccupait peu de sa mise. Ni son tricot de peau ni son pantalon n'étaient de la dernière lessive. Les taches en auréoles sous les aisselles et en cascades sur la braguette en attestaient.

— De Dieu, fit-il une nouvelle fois, ne sachant pas très bien ce qu'il voulait dire, quand ça va tomber... ça va tomber.

Adelin esquissa un sourire, heureux d'être là, parmi ces hommes qu'il tenait en estime. Malgré l'âge, ils faisaient face, courbés par la fatigue, redressés par l'orgueil. Ils auraient pu à bon droit se plaindre et baisser les bras, mais, devant l'adversité, serraient les rangs comme depuis toujours face à la misère, la maladie ou le froid. Adelin avait beau avoir atteint l'âge d'homme, il les voyait toujours comme jadis. Quand ils l'emmenaient là-haut sur les vires, attaché sous les bras par une corde, pour apprendre à faucher là où l'herbe était plus drue.

Armand s'arrêta, le bras vers la paroi.

— Regarde là-haut, sous le ressaut.

— Ça paraît pourri ?

— Comme un chicot.

Les deux mains posées sur le manche de son chapi, cet outil de forestier utilisé pour faire rouler les grumes, il détaillait la montagne. Des histoires d'avalanche et d'éboulement, il en connaissait par centaines. Autant ici dans la vallée que de l'autre côté de la frontière, dans le Valais, où il avait travaillé, un temps, comme débardeur.

— Ça prévient pas. Un coup de pluie, un rayon de soleil et ça part, tu sais jamais comment.

Il parlait fort pour taire ses craintes, essayant de se persuader que le Bois de la Chaumette ferait rempart à une nouvelle coulée.

— Pour la caillasse, on y fait au mieux, dit-il en désignant du manche de son outil les deux tombereaux de pierres à demi remplis. Mais avec les rochers, c'est pas la même chose...

Plus loin, le père d'Adelin et trois autres hommes étaient à l'ouvrage, arc-boutés pour faire rouler un énorme bloc. Leurs barres à mine étaient coincées dessous, des bastins en travers. Sur le trajet prévu pour le déplacer, l'herbe avait été enlevée, le sol damé, battu à coups de pelle.

Depuis des jours, les hommes se relayaient pour dégager le champ. A la demande d'Armand, on entassait les rochers en deux lignes de défense : l'une à la lisière de son champ, l'autre juste devant sa ferme. A ses yeux, ces bourrelets illusoires valaient tous les remparts.

Jusqu'à la tombée de la nuit, ils besognèrent ainsi par groupes de deux ou trois. Adelin allait de l'un à l'autre. On parlait peu. Un ordre, une phrase et puis plus rien. Rien d'autre que ces fronts butés et ces joues mal rasées où perlait la sueur pareille à de la résine.

Quand les ombres se mêlèrent à la nuit, Armand mit fin aux travaux. Tandis que chacun renfilait sa chemise, le torse fumant et les bras lourds, il offrit une tournée. Avec son petit tonneau de bois, il versa à chacun un verre de frênette, boisson préparée avec des feuilles de frêne fermentées dans de l'eau et du sucre.

Pendant que les hommes se désaltéraient, Adelin resta silencieux. Tous ces mots qu'on ne disait pas, ces regards entendus, Adelin les retrouvait peu à peu. Non qu'il les eût oubliés mais il n'en avait plus l'usage depuis des mois.

Adelin et son père arrivèrent à la ferme avec la nuit. Une nuit transparente et fraîche. Là-haut sur les massifs, le rideau sombre était déjà tombé, ne laissant aux sommets que leurs seules formes crénelées pour exister.

La mère avait installé un falot au-dessus du bachal pour permettre aux hommes de se laver. Adelin se revit là-bas dans les tranchées. La même lanterne dont on relevait le verre pour allumer les cigarettes, la tête penchée, le même chuintement de la mèche, la même odeur de pétrole. Il remarqua aussi le linge blanc posé sur la pierre. Un drap découpé en bandes et en carrés.

Après s'être débarrassé de sa chemise, il s'aspergea les bras et le visage, puis attendit quelques instants avant de demander :

— Tu m'aiderais pas pour mon pansement ?

Son père prit le temps de se sécher les mains dans un carré de drap :

— C'est que je m'y connais pas.

Il paraissait emprunté tout d'un coup d'avoir à partager l'intimité d'une blessure qui n'était pas la sienne. Il rabaissa ses manches, prenant beaucoup de temps pour les boutonner, et finit par soupirer :

— J'vais essayer.

Adelin était torse nu. Le dos face à la lampe, il s'aida de la main pour montrer à son père comment s'y prendre.

— Bon Dieu, mais tu saignes encore.

— Quelques gouttes, des fois, mentit Adelin en repensant à la bagarre du café.

Avec des gestes lents, son père commença par soulever le bord du pansement. Le bas se décolla sans difficulté. Au milieu, il résistait comme un linge pris dans les ronces.

— Ça accroche, murmura le père, la voix brouillée.

— Chaque fois c'est pareil.

— Au milieu surtout...

— Fais-y autour, après ça finit par se décoller.

Les soins, c'étaient les pires moments de l'hôpital. Comme tous ses compagnons, Adelin avait beau serrer les dents, plaintes, cris et jurons fusaient quand même. La teinture d'iode, l'alcool, les haricots aux yeux d'émail et le cliquetis incessant des instruments dans leur cuvette, chaque jour il voyait revenir l'épreuve de la salle de soins avec le même malaise. Ici au moins, l'air du soir l'encourageait à respirer comme le lui recommandaient sans cesse les infirmières.

— Ça se décolle, annonça son père.

Sa voix était mal assurée. Adelin le savait, le plus dur était à venir. Il pencha la tête au-dessus du bachal. En jaillissant de la gouttière de bois, l'eau l'éclaboussait. Adelin en avait le visage et le torse constellés. Les éclats d'eau le rafraîchissaient, lui donnaient le courage de tenir. Plus l'épreuve durait, plus ses nerfs s'avivaient. Il avait beau racler des pieds et souffler fort, rien n'y faisait. La douleur lui taillait les chairs.

Adelin pensa alors à l'eau oxygénée, à la fiole de laudanum, à l'enfant sur son lit de misère. Dans un mouvement de rage, il jeta son corps en avant, une façon pour lui de se révolter. La douleur l'aveugla.

Son père, le pansement à la main, n'avait pas bougé.

— Misère ce qu'ils t'ont fait, bredouilla-t-il, les yeux subitement baissés pour ne pas voir ce champ de labour qu'était devenu le dos de son fils.

Refaire le pansement fut plus facile. A l'aide d'un morceau de drap plié en quatre, Adelin confectionna une sorte de grosse compresse. Puis, avec une bande de tissu, il s'enveloppa le thorax comme il l'eût fait d'un baudrier. A l'hôpital, les infirmières appelaient cela un scapulaire.

Adelin regarda son père avant de rentrer dans le pêle. Jamais il ne l'avait vu ainsi. Vieilli, portant une douleur qui n'était pas la sienne. A découvrir son fils ainsi meurtri dans ses chairs, il revivait son inquiétude et ses attentes de chaque jour.

Pour ne pas faiblir, le père prit prétexte d'aller ranger des outils au bûcher, un simple appentis accoté au mazot situé un peu en contrebas de la ferme. Malgré la gêne de voir son père souffrir, Adelin fut surpris de ne ressentir aucun sentiment. Comme ce matin chez l'enfant malade, comme devant le four à pain, il lui semblait s'être détaché des autres. Insensible à ce qu'ils ressentaient. La peur de ne pas revenir avait fait son chemin comme l'eau dans la roche.

La soupe servie, le père y plongea sa cuillère et la tourna plusieurs fois dans un sens puis dans l'autre. C'était une soupe aux sept herbes. Epinards sauvages, cerfeuil, persils, ail aux ours, dents-de-lion en étaient la base. Après, chacun l'accommodait à sa façon. Certains y ajoutaient des cosses de petits pois ou des fanes de haricots pour leurs effets diurétiques. Chez d'autres, c'était de la prêle des champs réputée pour rendre les os solides. L'important était de réunir sept herbes. Sept comme les sept jours de la semaine, les sept péchés capitaux ou les sept monts entourant Samoëns ; personne ne savait au juste quelle en était l'origine. Pour cette fois, la mère d'Adelin avait retenu les feuilles de plantain et les orties, indiquées, disait-on, pour se refaire du sang.

Les yeux baissés, l'air absent, le père tournait toujours sa soupe. Un mouvement lent où le poignet seul semblait bouger. Au bout d'un moment il s'arrêta et, sans lever les yeux, grimaça :

— Vaut mieux pas que je mange, ça passerait pas.

Puis comme si ces quelques mots étaient suffisants pour résumer toute sa détresse, il se leva et, d'un pas qui marquait la fatigue, se dirigea vers l'écurie.

— Laisse-le, dit la mère avant même qu'Adelin eût le temps de parler, chaque jour c'est pareil, y se ronge les sangs à s'en rendre malade.

— C'est l'âge ? hasarda Adelin.

— Non, c'est le tourment de te savoir là-bas. Sans compter cette histoire d'éboulement. Comme si on avait besoin de ça, fit-elle en remuant la tête, manière pour elle de se plaindre tout en ne le montrant pas.

Le repas fut sans joie. En l'absence du père, chacun mangea en s'obligeant, les pensées ailleurs et le regard en dedans. Brusquement Adelin s'arrêta, les yeux sur l'une des miches de pain. Sans rien dire, sa mère en avait bouché les meurtrissures à l'aide de petits tourillons de mie. Sans doute s'était-elle signée aussi, comme s'il lui revenait de devoir toujours tout supporter pour rendre aux autres la vie plus acceptable.

Une fois le repas terminé, Adelin sortit dans la courtine. L'air encore tiède accueillait déjà les premières sautes de vent. On les sentait venir par vagues. Elles furetaient, fouinaient puis repartaient, abandonnant derrière elles des morceaux d'air frais arrachés aux glaciers.

En s'asseyant sur le banc à claire-voie, Adelin sentit la présence de son père. Immobile et droit, on ne devinait de lui que son profil.

— Ça craque par là-haut, dit-il, t'entends...

Adelin retint sa respiration. La montagne dormait de son sommeil épais. On ne voyait d'elle que sa masse d'un noir intense, insondable. Elle était pourtant là tout près, respirant en silence de ces millions de vies endormies. Adelin laissa ses sens prendre le dessus. De mémoire, il redessinait les couloirs, les vires, les pics et les frontons. Tout y était, les crêtes, les pilastres, les ravins, les plates-formes et les ressauts. Il n'avait rien oublié. Un rien avait suffi pour que sa mémoire profonde livrât ce qui était enfoui.

Au même instant, les deux hommes tressaillirent. Un craquement suivi d'un déboulé précipité, pareil à des cailloux sur une tôle. Puis un silence : la chute, le vide. Et de nouveau le roulement accéléré des pierres en perdition, avec des sauts et des rebonds, l'écho et ses réponses, accompagné d'un crépitement de caillasse et d'éclats de roche. Puis plus rien. Un silence en sursis dans l'attente d'un autre bruit.

— C'est comme ça chaque soir, lâcha le père sans quitter la montagne des yeux.

— Ça serait pas vers la Chaumette ? interrogea Adelin.

— Si, dans l'un des deux couloirs.

— Là où il y a le verrou rocheux...

— Ça se pourrait bien.

Les deux hommes n'eurent pas à en dire davantage. Par la pensée, ils étaient déjà là-haut à palper la roche de la main et du regard. Ils s'entendaient s'appeler, tirer les cordes, amener les sacs. Jusqu'à leur respiration qu'ils auraient juré percevoir : lente en début d'ascension, sifflante et sèche une fois engagés dans les dernières longueurs.

Quand le père se tourna vers Adelin, son profil avait la finesse d'une ligne tracée à la craie blanche. Un trait qui s'ouvrit pour laisser à ses lèvres le temps de demander :

— Tu te sentirais d'y monter demain ?

5

La nuit fut douce. Douce comme la couverture de laine déposée par la mère sur le lit de son fils. Elle avait cru bien faire, ignorant que, depuis sa blessure, Adelin ne dormait qu'à plat ventre, sans drap ni couverture, un bras et une jambe pendant au sol. Douce aussi comme le sont les nuits de plein été.

Dans le pêle, rôdait une odeur de soupe et de fumée. Sous le chaudron suspendu à la potence, des brindilles de sapin éclaboussaient la nuit de leurs escarbilles rouges. Dès les premières flammèches, les yeux du père s'étaient allumés. Un instant attendu depuis si longtemps. Les dernières heures de la nuit avaient été longues quand il avait commencé à compter les battements de la comtoise. Sur le matin, le doute l'avait envahi : et si son fils ne pouvait pas marcher, ne pouvait plus monter ?

En l'entendant pousser la porte, il demanda, mi-inquiet, mi-rassuré :

— Alors ?

Une question pleine de mots en suspens. Des mots qu'aucun des deux hommes ne prononça. A cet instant, leurs regards ne faisaient qu'un, avec une touche lumineuse dans chaque œil.

Chacun remercia Dieu à sa façon, avec des mots usés à force d'être rabâchés. Et puis, avec infiniment de lenteur, le père servit deux assiettes de soupe fumante. Son geste avait quelque chose de cérémonieux. On eût dit une offrande qu'il faisait au Tout-Puissant pour le remercier de l'avoir entendu.

— Le temps s'est mis au beau, annonça-t-il.

On le sentait emprunté, presque gêné de se retrouver là en présence de son fils. Adelin s'en aperçut, mais ne dit mot. La lueur des bûches qui commençaient à s'enflammer mêlée à celle plus incertaine de la lampe à huile baignait la pièce d'une atmosphère dorée.

Les hommes mangèrent vite, amassant les restes de légumes à l'aide de morceaux de pain. Pas un mot ne fut échangé. Ils étaient inutiles. Chacun était là, le dos voûté sur son assiette, à compter les longueurs de corde, prévoir de quoi manger, boire chaud, de la gnôle, peut-être un reste de viande ou de pain d'avoine. D'un œil habitué à peser les hommes, le père regardait son fils et l'aimait en secret.

Dehors, la nuit s'enfuyait à regret. Là-bas, vers le levant, des nuées se faufilaient entre ciel et sommets. Un simple liseré rose les laissait deviner. Et, perdue au milieu du ciel bleu marine, l'étoile du matin qui brillait de sa lumière vif-argent. C'était en l'observant par la petite croisée que le père s'était renseigné sur le temps de la journée.

Tant qu'ils restèrent sur le chemin, ils n'eurent pas à lever les yeux pour se repérer. Un pas en appelait un autre et, à chaque foulée, la touche ferrée du piolet donnait le rythme. La terre était lourde de rosée, on le devinait au chuintement mouillé des brodequins dans les touffes d'herbe. A mesure qu'ils avançaient, le sentier se fit moins large. Après la terre dure du début, un passage caillouteux bordé de noisetiers et d'églantines contraignit les hommes à marcher l'un derrière l'autre.

Le père passa devant, le fils une foulée derrière. Ni l'un ni l'autre n'en avaient décidé ainsi. Les choses s'étaient faites d'elles-mêmes.

Quand ils parvinrent aux dalles du Tuet, l'air avait pris une transparence de tulle. Un blanc marbré auquel venaient se mélanger les vapeurs bleutées de l'aube. Au pied de la première dalle, le père s'arrêta. Le buste fléchi, il pointa son piolet sur une masse noire de rochers.

— La première coulée est partie de là-haut, dit-il.

Adelin observait sans rien voir. Son regard se heurtait à la paroi, insondable et lourde.

— Et le chemin ? demanda-t-il.

— Y en a plus.

Adelin soupira avant de proposer :

— A plusieurs, on pourrait pas essayer de déblayer ?

Son père se tourna vers lui. Dans la lumière grise, on ne distinguait de son visage que le front et les méplats des joues. Adelin le sentit usé, tout d'un coup. Les mains l'une sur l'autre, posées sur son piolet comme sur une canne, il paraissait vieux. Ses mots confirmèrent :

— C'est plus de mon âge, fit-il en hochant la tête en signe d'impuissance.

— T'as encore de la poigne.

— C'est pas la force qui me fuit, c'est l'envie.

Il s'arrêta un instant avant de poursuivre :

— Tu comprends, j'ai plus le goût, même pour les bêtes, même pour le bois. Rien.

Adelin fit mine de ne pas entendre. Après un instant, il amorça le geste de se remettre en route. Son père le retint de la main :

— On va attendre que le jour soit là.

Dérisoire espoir de gagner du temps. Il essaya plusieurs fois de reparler de ses tourments et de ses peurs. Dire ce qu'il vivait tout en cachant ses sentiments. Chaque fois, Adelin détourna ses mots.

Assis face à face sur des rochers, les deux hommes avaient posé leur sac au sol. Une tranche de pain dans une main, le couteau à virole dans l'autre, ils taillèrent en silence dans leur tranche de lard froid.

Le temps s'échappait et, avec lui, l'espoir de se parler.

Une fois les éboulis contournés, ils poursuivirent vers Folly puis filèrent à main droite vers un grand escarpement. Malgré la pente, les deux hommes avançaient vite. Sans cesse en alerte, le père écoutait son fils marcher, quelques mètres derrière lui. Les clous des brodequins mordaient bien, rabotaient la terre et la caillasse, les ailes de mouche clouées autour de la semelle attaquaient la roche en cadence. Rien que de très normal.

Seule la respiration d'Adelin ne suivait pas. Le rythme était inégal, saccadé, haché de raclements de gorge et de soupirs. Imperceptiblement, le père ralentit le pas. Le dernier ressaut fut franchi avec davantage de prudence, les reprises de pied se firent plus lentes. Adelin soufflait toujours. Sa respiration s'interrompait par instants comme si l'air peinait à entrer dans ses poumons et plus encore à en sortir. La bouche, les lèvres, les narines, tout était à l'ouvrage pour apporter ce semblant de fraîcheur immédiatement englouti par un feu de forge. Sa gorge devait être à vif, son dos en sueur, sa blessure peut-être rouverte par la sangle du sac.

A son évocation, le père s'arrêta. En appui sur un pied, il déjeta son corps pour permettre à son fils de le rejoindre. Visage contre visage, ils se regardèrent. Dans leurs yeux, se lisait la même détresse : celle de ne plus pouvoir affronter la montagne ensemble. Comme au temps d'avant, quand ils enchaînaient les longueurs les unes après les autres avec pour seule ambition de vaincre les parois, quoi qu'il advînt.

D'un coup d'œil, le père jugea la situation. Au-dessus d'eux, une verticale de plusieurs centaines de mètres. En dessous, le vide. Bloqués sur cette petite plate-forme, il fallait repartir sans tarder. Plus les muscles allaient se relâcher, plus la confiance s'effriterait.

Dans un geste presque impensable pour lui, le père saisit son fils par les épaules et le débarrassa de son sac, puis il l'aida à se libérer des anneaux de corde enroulés autour de sa poitrine.

Tête basse, Adelin le laissa faire, plus triste qu'effrayé. Il semblait uniquement préoccupé par son souffle. Certaines inspirations ronflaient, comme si ses bronches étaient encombrées. A d'autres moments, l'air se faufilait sans peine jusqu'aux poumons, mais refusait d'en ressortir. C'est ce qui déclenchait ces départs de toux, pareils à des hoquets, lui voilait les yeux de larmes, lui couvrait le front d'une sueur épaisse, signes communs à tous ceux dont les poumons sont en détresse.

Les yeux fermés, Adelin se força au calme en se laissant aller contre son père. Il connaissait ces moments pour les avoir déjà vécus. Lui revinrent alors les conseils des infirmiers après les attaques au gaz : ne pas s'affoler, ne pas résister, se laisser porter et espérer revenir.

Son père se sentit tout à la fois fort et accablé. Etre celui sur qui son fils se reposait l'emplissait d'une force nouvelle. D'un geste ferme, il le saisit par les revers de sa veste et le maintint debout. Sans trop serrer, il resta ainsi quelques instants, dos au vide.

Du ravin, montait une brise aux senteurs humides. Sans réfléchir, le père pivota de manière à tourner le visage de son fils vers ces vagues de fraîcheur. Ses jambes étaient fermes, ses muscles noués à se rompre.

Avec mille précautions, il tâta du bout du pied les limites de la dalle. Du calcaire solide sur lequel ses brodequins tiendraient, il en était sûr.

D'instinct, le père avait croisé ses doigts comme pour porter un sac de grains. Les bras en arceaux, les reins creusés, le ventre dur.

Lentement, il se déplaça dos au vide. Ne pas lâcher,

ne pas faiblir. Son fils avait les traits défaits, la tête posée sur l'épaule. Il respirait. On l'entendait aux sifflements des bronches lorsque l'air en ressortait. Une fois calé contre la paroi, le père s'approcha encore de ce visage jusqu'à en sentir la peau se coller à la sienne, cette haleine lourde l'effleurer. C'est à cet instant qu'il vit des bulles de mousse goutter des lèvres de son fils.

— Misère de misère, murmura-t-il.

Le col de sa chemise en était souillé, le devant de sa veste aussi. Le drap gris, épais à cet endroit, semblait humide et sale. Sans se plaindre, Adelin avait marché, sourd aux appels de son corps, insensible aux signes d'étouffement qui le gagnaient.

Conscient qu'il ne tiendrait pas longtemps ainsi, le père entreprit de déposer son fils sur l'étroite dalle. Au moment où il desserra son étreinte, Adelin eut un premier geste de la main. Puis un second, suivi d'un mot sans consistance.

Un genou au sol, le père adossa son fils contre la paroi du mieux qu'il le put. Ses mains étaient agrippées au drap de la veste. Il le serrait si fort qu'il en sentait la trame sous ses doigts. Dos au vide, avec les clous de ses brodequins pour seul secours, il se savait en danger. Un geste brusque, un mouvement de trop et c'était la chute pour tous les deux. Il se releva pourtant et, pareil à un charretier replaçant un sac sur son attelage, cala son fils de manière à l'empêcher de glisser.

Adelin revenait à lui. Il n'avait plus ce teint hâve de tout à l'heure, sa respiration s'était apaisée. Courte, mais régulière. Doucement, ses yeux s'entrouvrirent sur un regard inquiet.

— J'ai viré de l'œil ? demanda-t-il en se voyant au sol.

— T'as pris un coup de chaud, c'est tout, mentit le père.

— Y a longtemps ?

— Là, tout de suite...

Adelin parut rassuré. Une moue au bord des lèvres, il s'apprêtait à se relever quand il découvrit l'état de sa veste. D'un revers appuyé, il s'essuya la bouche, ne négligeant ni le menton ni les moustaches, puis regarda sa manche. Sur le tissu, faite de salissures rougeâtres et de salive grumeleuse, la signature du mal qui lui rongeait les poumons était là.

— Les gaz, fit-il comme un aveu.

— Quoi, les gaz ?

— Les gaz de combat.

Devant le silence de son père, il entreprit de raconter. Quelques mots pour faire comprendre :

— L'année dernière, on s'est fait prendre par les gaz à Douaumont. Des pouilleries qu'ils balancent pour nous aveugler et nous asphyxier avant d'attaquer.

— On n'a pas su.

— On peut rien dire là-dessus, y a la censure.

— Bon Dieu, mais c'est une blessure.

— Même pas, fit Adelin.

Et comme la veille en présence de sa mère, il ne parla pas de ces visages au teint verdâtre, ces agonisants à la bouche crispée, ces cohortes de capotes qui s'enfuyaient vers l'arrière, un tampon respiratoire sur la bouche ou un masque mal ajusté, tout juste suffisant pour ne pas s'asphyxier.

Le père en resta là. Les mots lui manquaient, pas la colère. Les bras écartés, il prépara une corde, en fit un large anneau qu'il noua autour de la taille de son fils. Plusieurs fois, il insista pour en vérifier la solidité avant de demander à Adelin :

— Tu te sens de continuer ?

— Va falloir.

— On va prendre par les deux petites vires, là sur le côté.

Adelin fit oui de la tête, se bornant à regarder où était le passage.

C'était une longue partie où la roche se dressait, fière et rebelle, en grosses plaques luisantes, couleur de plomb. Une suite de vires qu'il fallait franchir dos au vide, les mains à la recherche de la moindre prise. Tantôt un gratton, tantôt une saillie, à peine suffisante pour s'équilibrer. Le père se chargea des deux sacs réunis par une lanière de cuir passée entre les bretelles.

Adelin ne disait rien. D'un geste las, il avait ajusté la corde à sa taille, serré le nœud et saisi son piolet à mi-manche, comme indécis sur la manière de s'en servir. Son père s'en aperçut :

— Donne-moi-z'y, ordonna-t-il, la main tendue.

Le piolet vint s'ajouter aux deux sacs. Ainsi chargé, le père ne pouvait, sans risque, écarter son corps de la paroi ni pour enjamber des blocs, ni pour chercher des prises de main. Son regard furetait sans cesse, d'une prise à l'autre, d'une saillie à l'autre. Tout ce qui lui semblait pourri ou glissant était abandonné. Il lui fallait du dur. En creux ou en bosse, peu lui importait, pourvu que ce fût solide. Comme des antennes, ses doigts cherchaient en aveugle, grattaient, palpaient, s'enfonçaient et décidaient. Sa main s'agrippait alors à la prise pour ne plus la lâcher. Commençait ensuite une lente avancée des pieds. Un pas après l'autre.

La roche semblait sûre à cet endroit, seule l'étroitesse des vires était à redouter. Souvent le talon, parfois la moitié du brodequin étaient dans le vide. Les clous en pointe de diamant, les mâchoires des ailes de mouche suffisaient à retenir le pied. Le reste était affaire de confiance et de force. Et les deux énormes pognes du père n'en manquaient pas. Il se serait fait broyer les doigts plutôt que de lâcher. Cela faisait des mois qu'il attendait d'en découdre avec le sort, de relever un défi à la hauteur de ses tourments.

Une fois engagé sur les vires, Adelin sentit son corps se reprendre peu à peu. Lui aussi assurait ferme, avec les mains surtout.

Bizarrement, sa blessure ne le faisait pas souffrir, même quand il tirait sur ses bras. Plusieurs fois, il essaya de forcer. Ni dans le dos, ni sur le flanc ne naissaient ces premiers signes annonçant le réveil du mal. Seuls les mouvements de sa jambe, quand il montait haut le genou, allumaient quelques flammèches vite éteintes.

Ainsi, de mètre en mètre, ils franchirent les vires avant d'arriver le long d'un grand cône. L'air était froid à cet endroit, avec par instants des relents mouillés. Il s'agissait d'une sorte d'entonnoir fendu à plat, encombré de rochers retenus par quelques pierres saillantes. Et en travers, gisaient des troncs de sapins déracinés, lavés par la pluie et blanchis par le gel.

Pour passer le couloir, le père hésita. La pente était raide, la roche glissante. Par le travers, le passage semblait possible. Après un temps de réflexion, il prit l'avis d'Adelin :

— Tu passerais par où ?

Pas de réponse.

Adelin fouillait le couloir des yeux. Vers le haut du cône, il y avait comme un petit belvédère et, derrière, plus rien. Un morceau de nuit oublié du jour.

— Oh, tu m'entends ? s'inquiéta le père.

— Regarde voir par là-haut, fit Adelin sans lâcher l'endroit du regard, on dirait un trou.

— Une pissoire...

— Ça m'étonnerait, ça scintille pas.

Le père prit appui des deux mains sur son piolet. Ses yeux remontèrent lentement le couloir. Parvenus au bas de la petite vire, ils s'arrêtèrent. Avec une moue de doute, il lâcha :

— Ma foi, j'sais pas trop...

— De chaque côté, y a bien de la roche.

— Sûr.

— Et au-dessus ?

— Aussi.

— Faut que je monte voir, fit Adelin.

— T'y penses pas, l'interrompit son père.

D'un coup, Adelin sentit son sang grésiller. Une vague chaude, venue du fond du ventre, montait jusque dans ses bras. Un mélange d'envie et de défi. Voir, toucher, être le premier à passer et à laisser sa trace. En hâte, il quitta sa veste et s'encorda à la taille. Puis, se ravisant, il passa un autre anneau en baudrier, dans le sens opposé à sa blessure.

— Par le flanc, la roche est moins pourrie, estimat-il d'un coup d'œil tout en s'efforçant de nouer plusieurs longueurs de corde entre elles.

Son père le regardait faire, le chapeau légèrement ramené sur les yeux. Une étincelle de fierté s'était allumée dans son regard, longue à venir au début puis plus vive à mesure que les gestes s'enchaînaient. Ses souvenirs étaient intacts. Leurs départs à la pointe du jour, leurs nuits dans les cabanes d'alpage, sur des paillasses d'herbe sèche, et leurs retours le soir venu, le corps mouillé de chaud, les jambes lourdes et, au-dessus de leur tête, sans doute plus haut que l'âme, cette joie pure et simple d'être passés là où personne n'avait réussi avant eux.

Adelin s'engagea dans le couloir, les épaules rentrées, le dos un peu voûté. Il fallait faire vite. Sur le bord, les pierres tenaient mal, au milieu c'était pire. Quand l'une se détachait, elle déclenchait une averse de cailloutis.

Plus haut, la roche était franche. A la recherche d'une prise de main, Adelin s'arrêta brusquement. A quelques dizaines de mètres au-dessus de lui, le rocher s'ouvrait sur une cavité en forme d'ogive.

Il fouilla la roche du regard. Une enfonçure, un trou, une grotte peut-être.

Adelin tira à lui plusieurs anneaux de corde et prit par le travers pour rejoindre le haut du passage. Son père ne distinguait plus de lui que son dos et, de temps à autre, ses mains, taches plus claires sur le gris du rocher.

Adelin gravit les derniers mètres, les yeux rivés sur

l'ouverture de la paroi. Du pied, il chercha une prise solide pour se hisser, et là s'arrêta, les yeux arrondis, les lèvres en sifflet.

— De Dieu, souffla-t-il dans un nuage de vapeur, une grotte.

Du bas, on ne devinait que la partie supérieure de la cavité. A hauteur des yeux, c'était une tout autre affaire. Dans la roche, un passage s'était ouvert sur un bon mètre de large, plus du double en hauteur.

A l'intérieur, la roche ruisselait. De temps à autre, une grosse goutte vacillait, hésitait, puis se détachait en s'écrasant au sol dans un empilage d'éclaboussures. A chaque fois, le silence résonnait, puis plus rien. Adelin rampa sur un mètre, peut-être deux, sans toucher le fond la cavité.

— Une ancienne pissoire, se dit-il en continuant à explorer la roche de la main.

Enfant, il avait souvent entendu parler de ces grottes mystérieuses dans lesquelles les chasseurs affirmaient avoir vu disparaître des chamois. Racontars d'hommes déçus ou mystères géologiques, personne ne savait trop. On se persuadait en secret, on se gaussait en sourdine. L'honneur restait sauf et l'histoire s'enracinait dans les mémoires.

Il rampa, jusqu'à sentir sous ses doigts le fond de la grotte, sèche cette fois et d'un grain plus grossier. On aurait dit du granit. Tout cela, Adelin l'enregistra pour pouvoir le raconter.

En retrouvant la lumière, il changea d'avis. Ce ne serait qu'un trou. Un début de faille comme on en trouvait des milliers dans le massif du Haut Giffre.

Depuis toujours il avait tout partagé en montagne avec son père. Sans raison, il venait de rompre un pacte qui les unissait en secret. Comme hier, il se sentit vide de tout sentiment. Ne pas aimer, éviter que l'on s'attache à lui pour ne pas avoir à laisser le souvenir d'instants qu'il savait en sursis. Dût-il lui en coûter une fêlure très loin au fond de lui, là où il n'accédait plus depuis des mois, il se résolut à mentir.

Son père l'attendait. Son coup de menton partit plus vite que la question :

— Alors, c'est quoi ?

— Un trou, fit Adelin, les yeux braqués sur sa corde qu'il enroulait en larges anneaux.

— Et c'est pour ça que tu t'es décordé ?

— C'est à cause du baudrier...

— Le baudrier ?

— Y me coupait le flanc.

L'argument fit mouche. Le père ravala ses mots, avant de lâcher d'un ton moins batailleur :

— T'as pas idée comme c'est dangereux par ici. Suffit d'un rien pour s'ennuquer.

Les deux hommes passèrent le couloir en silence. Il ne restait plus que quelques centaines de mètres de mauvaise roche avant de parvenir le long de la coulée.

Le père avançait prudemment, tantôt de face, tantôt de biais.

— C'est là, dit-il brusquement en désignant la paroi des yeux.

Adelin s'arrêta. S'ouvrait devant lui une immense saignée de plusieurs centaines de mètres. La roche semblait taillée à coups de hache. Des milliers de tonnes avaient basculé dans le vide, et puis s'étaient arrêtées, retenues par un verrou rocheux. Un incroyable amoncellement attendait, immobile, comme une armée avant l'assaut.

— C'est pas Dieu possible, souffla Adelin en découvrant la coulée.

En parlant, son regard s'était porté vers la vallée, vers le champ d'Armand et toutes les pâtures que l'on distinguait en contrebas. D'ici, on voyait nettement l'empilement de roches dressé devant la ferme, dérisoires obstacles pour une débâcle qui emporterait tout sur son passage.

Les deux hommes restèrent un instant à détailler la paroi, juger les trajectoires, évaluer sans savoir si c'était en milliers ou en millions de tonnes qu'il fallait calculer. Le père ne comptait plus, il alignait des croix.

— Ça pardonnera pas, lâcha-t-il d'une voix éteinte.

Pour lui, ce n'était ni une crainte, ni une mise en garde, seulement une certitude.

6

Le retour se fit par le même chemin. A l'entrée du hameau, un homme habillé de sombre les attendait, assis sur un bout de rocher, veste ouverte et col déboutonné.

— Vous v'là enfin, souffla-t-il, peinant à se lever, un grand mouchoir déplié à la main.

Son ventre pointait sous le gilet, attestant sa réussite et ses états de service. Jadis député, il occupait aujourd'hui le fauteuil de maire, une charge assurée sans passion mais avec poigne. Courtaud, un peu pataud, il marchait d'un petit pas pressé, congédiant d'un haussement de sourcil ceux qui s'adressaient à lui sans déférence. Cette fois, il restait immobile devant son rocher, engoncé dans son habit de ville, le mouchoir dans une main, une enveloppe dans l'autre.

— Vilain temps, lança-t-il en guise de salutation.

D'un même regard, le père et le fils levèrent les yeux à la recherche d'un indice. Le ciel, immensément pâle, n'avait ni pli ni nuage, pas même ces nuées de chaleur annonçant les mouvements de vent en altitude.

— C'est pas du ciel que je parle, se reprit-il, un peu

vexé d'avoir raté son effet, c'est de ça, fit-il en montrant son enveloppe.

Ses yeux ressemblaient à des galets, aussi froids, aussi ronds. Pas un mouvement, pas un cillement ne les animait. Il les planta dans ceux d'Adelin.

— Encore une chance que tu sois là, fit-il d'une voix fuyante.

— Pourquoi donc ?

Le père d'Adelin comprit tout de suite. Son visage se vida. Plus de regard, plus de mouvement, c'était sa façon à lui de défaillir. Seule la sueur continuait de goutter du nez et du menton.

— Tu comprends, toi t'as plusieurs années au front, ça peut aider pour annoncer un décès. Et puis j'ai appris que t'avais une citation...

Ne pas s'apitoyer, pensa Adelin, ne rien partager pour ne pas souffrir.

— Qui c'est ? demanda-t-il d'une voix absente.

— Le fils Grangeat, je l'sais d'hier mais j'ai attendu ce matin pour l'annoncer.

— L'aîné ?

— Non, le cadet, Félicien. Il est de la classe 17, un bleuet, comme on dit.

Adelin le connaissait, il avait un visage blond et des mains rouges. Un visage de gamin surmonté d'une tignasse de Burgonde, jaune et rebelle. Il aurait aimé que sa moustache fût du même crin, il attendait de grandir, il espérait vieillir. A la place, il devait se contenter d'un fragile duvet. Ses mains étaient comme des outils. Dures, gercées ou écorchées, elles étaient toujours rouges, au beau temps comme au mauvais, sans que personne en sût la raison.

— Ça s'est passé quand ? demanda Adelin de la même voix blanche.

— Dix jours. Le 11 août exactement, précisa le maire en relisant sa lettre qui portait en-tête et tampons, comme si la date devenait subitement l'objet de toute son attention.

Il mâchonna quelques mots en soulignant une ligne du doigt et trouva encore à ajouter :

— Sur le plateau de Craonne, tu connais ?

— Non...

— Il était chasseur à pied.

La capote bleue, la tignasse blonde et les mains rouges. Presque les couleurs du drapeau, songea Adelin. Il ne souffrait pas. Le maire le dévisageait, tendu :

— C'est pas pour dire, mais je préférerais que tu viennes avec moi.

Silence.

— Qu'est-ce que t'en penses ?

Silence.

— On va y aller ensemble, finit-il par annoncer en reboutonnant son veston, à la manière sans doute dont il s'y prenait à l'Assemblée, une fois son discours terminé.

Après il parla seul, s'empêtrant dans des phrases trop longues et des formules désuètes. A un moment, il se tourna vers Adelin :

— Faut y aller maintenant. Ça sert à rien de rester là à lambiner.

Adelin arrondit l'épaule pour déposer son sac. Son

père était raide comme un saint d'église, le visage plâ-
treux et les bras morts. Ses yeux ? Ceux d'un gisant.
On les aurait dits pris par la glace.

Quand il empoigna Adelin par le bras, ce fut pour
lui dire tout ce que ses lèvres ne pouvaient pas. Ses
doigts s'enfoncèrent dans les chairs, en faisant mal.
C'était pourtant une douleur douce. Les deux hommes
eurent la pudeur de ne pas se regarder tout le temps
que dura l'échange. Adelin sentait dans cette main
monter des serrements pareils à des sanglots. Il en
était sûr, son père savait pleurer avec les mains.

Le maire continua ses parlotteries tout au long du
chemin. Il marchait à petits pas, le mouchoir dans une
main, l'enveloppe dans l'autre.

— Par là, dit-il en approchant du lieu-dit le Chevreret.

— Ils ont quitté le coteau ? s'informa Adelin, surpris de prendre un autre chemin.

— Pas que je sache, mais le père est sur une coupe
aux Noyerets, on va le prévenir en premier, c'est
comme ça qu'on fait d'habitude.

Devant l'étonnement d'Adelin, il ajouta :

— Ah, on t'a pas dit, on est tenu d'abattre tous les
noyers désormais, réquisition préfectorale. Ça fait un
an que ça dure, ce manège, tous y passent depuis
l'arrêté de mars, je te parle de 1916, pas de cette
année.

— Et pourquoi vous abattez ?

— Pour les crosses, pardi. Faut alimenter les manu-
factures d'armes, et dans les délais encore. Parce que
les pénalités, ça tombe. Et qui c'est qui paye, je te le

donne en mille ? Le budget de la commune. Et j'te parle pas des quelques-uns qui vivaient de l'huile de noix. Fini, plus une goutte, ni ici, ni à Bonneville. Fermés, l'huilerie du Giffre, les presses et tout le tremblement, fermés...

Il essaya de se calmer :

— Je m'échauffe, mais je suis comme les vieux chiens, je commence par aboyer et je finis toujours par obéir.

Le chantier d'abattage se trouvait sur le flanc d'une prairie tout en longueur. Deux hommes y besognaient, l'un petit et trapu, l'autre plus mince, plus vieux aussi à en croire sa chevelure grisonnante. Tout à leur ouvrage, aucun des deux ne vit Adelin s'avancer, suivi du maire.

— Adieu, lança Adelin parvenu à quelques mètres des deux hommes.

Les haches se turent, l'une après l'autre.

— Adieu donc, répondit le trapu sans regarder à qui il s'adressait.

Quand il eut relevé ses mèches collées de sueur, il rectifia d'une voix un peu forcée :

— Adieu, monsieur le maire.

Il y eut un moment de flottement entre les hommes, chacun hésitant à parler. Le grand aux cheveux gris se passa les mains sur la nuque, les tempes, le menton, il ne savait plus d'où il souffrait. Il voulait gagner du temps, retourner à sa besogne, ne pas savoir. Comme tous les êtres, il avait cette intuition qui précède les événements. Avant d'entendre, il voulut se présenter dignement. D'un revers de main, il épousseta la sciure de son pantalon. Une fois, deux fois, puis remit en place les pans de son tricot de peau, ajusta sa ceinture de flanelle avant de demander :

— C'est l'aîné ?

— Non, dit Adelin en s'approchant de lui comme pour une accolade, c'est Félicien.

Il sentait la sueur chaude et la poussière de bois. Sa peau était moite quand Adelin le saisit par les épaules. Les mots ne servaient à rien, l'un comme l'autre le savaient bien. Ils restèrent ainsi, lui les lèvres closes, le regard absent, Adelin luttant de l'intérieur, les doigts serrés pour les empêcher de trembler.

Ce fut l'homme aux cheveux gris qui se détacha le premier. Sans un mot, sans un regard, il partit vers le fond du champ, là où était attaché un petit âne du Piémont. Il s'approcha de lui, prit sa tête entre ses mains et laissa, loin du regard des autres, son corps déverser son trop-plein de douleur.

Bien que rapide, d'ordinaire, à retrouver son aplomb, le maire resta muet quelques instants. Il ne savait plus s'il devait partir ou bien rejoindre le père de Félicien pour l'assurer de la reconnaissance de la Nation. Il lui sembla plus simple de se retirer et, s'adressant à Adelin, il lui dit d'une voix de circonstance :

— Le plus dur reste à faire, la mère est de petite santé, à ce qu'on dit.

Adelin le dévisagea.

— Poitrinaire, je crois, ajouta le maire un ton plus bas comme s'il se fût agi d'un mal honteux.

Pour être sûr de donner à ses mots le poids qui convenait, il chercha un peu, et laissa filer, mi-soupçonneux, mi-rigolard :

— Paraît que certains l'ont vue manger des limaces, c'est te dire.

Devant le peu d'effet obtenu, il ajouta, geste à l'appui :

— Longues comme ça.

Adelin le dévisageait toujours.

— Ça peut soigner, dit-il calmement.

— Penses-tu, ça se saurait.

— J'ai vu des gars le faire.

— Peut-être là-bas, dans les tranchées, mais pas ici...

— Justement si, ici, au plateau d'Assy.

Le maire prit sa mine contrite de vieux politique flairant la combine et abandonna la discussion, jugeant l'enjeu sans importance.

— C'est pas tout, dit-il, mais comment tu comptes t'y prendre pour lui annoncer ça ?

Adelin resta un long moment à regarder les grumes entassées le long du chemin. Sur les fûts, les lignes de vie se lisaient en cercles concentriques. De l'œil, il essaya de retracer dix-neuf années de vie. A peine quelques centimètres depuis le cœur du tronc, bien loin de l'aubier, et plus encore de l'écorce.

Tout au long du chemin, le maire souffla beaucoup, s'arrêtant souvent pour s'éponger la nuque, le front et le dessus des mains. A bout de souffle, il haleta :

— Ça grimpe trop, va devant, tu iras mieux.

Il laissa tomber son gros corps sur un coin de rocher et prit appui des deux mains sur ses cuisses rondes. Pour la circonstance, il avait chaussé d'étranges chaussures noires dont le dessus était de cuir fauve et l'empeigne vernie, le tout surmonté d'une sorte de guêtre enserrant sa cheville.

Adelin continua d'aller de son même pas lent et appuyé, la veste sur le bras. Au dernier virage, il leva les yeux. Sur l'un des côtés de la courtine grimpait un buisson de roses trémières, sur l'autre une glycine aux fleurs délavées. Adelin n'entendit pas les clous de ses brodequins griffer les galets. Quand il s'arrêta sur la pierre palière, l'air ne portait plus, ni les sons, ni les odeurs, même plus les souvenirs. Un air vide, absent, comme il l'était lui-même.

Vouloir donner un âge à la petite femme qui s'approcha dans l'embrasure de la porte était bien inutile. Sa peau, son visage et ses mèches appartenaient déjà au passé, au contraire de ses yeux, qui n'avaient pas rendu les armes. Un regard brun, de cette couleur veinée qu'a parfois le bois à force d'être ciré, et tout au fond un feu noir entretenu de l'intérieur. Elle sourit d'abord des yeux et des lèvres, puis se tut en écoutant Adelin.

Ses lèvres tremblaient doucement, hésitant avant de chavirer. Sa main monta de sa poitrine vers sa gorge, puis se crispa devant sa bouche, sans doute grande ouverte sous ses doigts.

Ses paupières s'épaissirent, comme soulevées par une eau invisible. Seuls les cils restèrent immobiles, frangés de larmes fines. Sa main se crispa un peu plus et d'un coup tout son corps fut secoué d'un immense tressaut.

Elle toussa longtemps, portant chaque fois le poing à son côté. Son autre main s'aidait d'un mouchoir pour contenir son souffle, qu'elle savait malade. A aucun moment ses yeux ne débordèrent ni de larmes ni de toux. Ils étaient là à regarder tantôt vers Adelin, tantôt dans le lointain, vers le Jura, la Bresse, vers l'est de la France.

Au bout d'un long moment de lutte avec sa toux, elle réussit à contenir le mal. D'un pas glissant, elle alla vers un gros meuble brun surmonté d'un haut-corps. Elle semblait y ranger vaisselle, couverts et papiers. Elle farfouilla un peu, levant des linges rangés en piles et des boîtes en fer-blanc. Quand elle fut sûre de sa trouvaille, elle l'exhiba :

— Regarde, il me l'a envoyée y a pas même un mois.

C'était une lampe-briquet fabriquée avec des cartouches de fusées éclairantes, rafistolées et tordues à la pince. Les soudures étaient faites à la bougie. En la prenant, Adelin ne put s'empêcher de revoir les grosses mains rouges de Félicien.

Comme tant d'autres objets fabriqués dans les tranchées, ce lumignon avait été une manière de ne pas rompre le fil avec les siens. En travaillant au couteau, à la pince ou au marteau, on parlait de chez soi, on montrait une photo, une mèche, un visage, bravant les remarques, riant des commentaires, on vivait. On vivait quand même.

— C'est vrai, interrogea la mère, les yeux couvant sa lampe, que là-bas ça vous arrive de vous éclairer avec des vers luisants ?

Adelin avait entendu parler de cette histoire. Là-haut, dans la Somme, les soldats anglais utilisaient, disait-on, des vers luisants pour relire leur courrier la nuit, lors des gardes ou des factions. Du moins c'est ce que l'on racontait. Et de bouche à oreille, l'anecdote avait enflé puis débordé des tranchées anglaises pour se répandre bien au-delà de la ligne de feu.

— J'l'ai entendu dire, lâcha Adelin, attentif.

— En arriver là... fit-elle, les yeux toujours sur sa lampe.

Elle la tenait entre ses mains, les doigts repliés comme on le fait pour protéger une flamme d'un courant d'air.

Ce furent ses derniers mots. Après un long silence, elle se retourna et s'enfonça dans la pénombre de la pièce. Adelin ne vit plus d'elle que son dos un peu voûté, son poing toujours à son côté et les os de ses épaules bosselant l'étoffe de sa robe.

L'après-midi fut morne et chaud. Adelin et son père travaillèrent à façonner des tavaillons pour couvrir le toit du mazot. Il fallait les préparer de telle manière que les planchettes ne tuilent pas. Chacun avait son rôle, à l'un les quartiers de bûche à fendre sur le billot, à l'autre la finition à la plane, assis à califourchon sur un banc d'âne, sorte de banc étau que l'on coinçait avec le pied. Le père d'Adelin s'y entendait à ce travail. Un coup de plane sur une face puis un autre sur l'envers. Et la planchette avait son lissé définitif.

Comme Adelin s'apprêtait à se lever pour prendre une nouvelle bûche, il vit arriver sur le chemin une silhouette de petite taille. Le pas saccadé annonçait l'urgence. Un corps nerveux qui filait bon train, sans temps mort ni cassure.

— C'est moi, fit l'homme, sûr d'être reconnu même de loin.

Le salut fut bref, les retrouvailles hésitantes.

— Tu me remets, cette fois ? lança le petit homme à la face plate.

— Tu parles, fit Adelin.

— Ben, mon gars, j'te dois tout, commença le père de l'enfant malade. J't'avais dit qu'je passerais mais j'pensais pas de sitôt.

— Comment va-t-il ? articula Adelin.

— Sauvé ! cria le petit homme. Il s'en est manqué de peu mais tu m'l'as sauvé, mon gamin.

Et en parlant, il prenait tout à témoin, Adelin, son père, le tas de bois et même le banc d'âne. Tout chez lui était en mouvement, les gestes comme les pensées, et sous le coup de l'émotion, ses nerfs s'avivaient encore et l'entraînaient vers des élans qui n'étaient sans doute pas son ordinaire.

— Deux jours de tes remèdes, tu te rends compte, et v'là qu'il vit.

— Il est solide, voilà tout...

— Penses-tu, c'est un chat maigre. Tes remèdes, c'est ça qui l'a sauvé. Et la volonté de Dieu, ajouta-t-il pour faire bonne mesure.

Il hésita un instant, le regard vers le tas de tavaillons, puis de nouveau tourné vers Adelin :

— Si on m'avait dit qu'un soldat sauverait mon petit, j'aurais eu du mal.

Et il ajouta :

— J't'ai apporté des bouteilles. Ça remplacera pas ta fiole ni ton eau blanche mais c'est du liquide quand même.

Il écarta l'un des pans de sa veste pour en extirper deux bouteilles de verre dont les bouchons de porcelaine tenaient par des armatures de fer.

— C'est pas de l'algérienne, dit-il, voulant parler de limonade, mais de la bière d'épicéa. Goûte ça, dit-il en débouchant du pouce l'une des bouteilles.

Devant l'hésitation d'Adelin, il précisa :

— J'travaille des fois à la brasserie, y a toujours quelques bouteilles qui se perdent. Des orphelines, comme on dit...

— Goûtes-y donc, insista le petit homme en tendant la seconde bouteille au père d'Adelin.

C'était une bière forte au goût, un peu épaisse. Faute de houblon, des aventuriers de la distillation s'étaient lancés dans des expériences jugées, par eux, prometteuses. L'économie de guerre allait son train. Sur l'autre versant, un ancien épicier avait tenté sa chance en faisant fermenter sa bière avec du bois d'épicéa. Installé sur une source dont les propriétés thermales n'avaient pas convaincu l'Académie de médecine, il s'était rabattu sur la bière, sûr de sa trouvaille et de la fortune qui s'ensuivrait.

— Un peu amère, jugea Adelin après deux gorgées bues à la régalade.

— C'est la résine, plaida le petit homme, défendant son breuvage mieux que l'eût fait le brasseur lui-même.

T'y mets au noir à la cave, après ça passe, le goût de
résine.

Le père d'Adelin se contenta d'une moue.

— T'aimes pas ?

— Ça passe la soif.

— Sûr que ça se boit, vu ce que je livre certains
jours...

La fin de sa phrase resta en suspens. Bouche ouverte,
il resta à hésiter entre parler, déglutir ou respirer. Quand
enfin il se décida, on eût dit un chat avalant une bourre
de poils. Adelin remarqua l'aller-retour de sa pomme
d'Adam, les plis de son cou débarrassés des touffes de
poils, les joues de nouveau rasées. Aimanté par la paroi
du Criou, son regard n'arrivait pas à s'en détacher :

— De Dieu, j'l'avais pas vu comme ça, l'éboulement.

Les trois hommes avaient la tête levée, les yeux
fouillant le chaos de roches. A la façon d'un vieux roi
capricieux, le Criou dévisageait ses sujets, impassible
et hautain. La tête poudrée de lumière, il laissait
admirer sa face noble. Il lui suffisait pourtant d'un
rien, un geste, une passade, la simple envie d'épousseter les pans de sa robe, pour envoyer bouler des milliers de tonnes dans la vallée.

— C'est tout bloqué dans le couloir.

— Je vois...

— Et au-dessus aussi, montra le père d'Adelin d'un
coup de menton.

— Souvent c'est comme ça, quand ça descend pas
tout de suite, commenta le petit homme. Et après, on
se vrille les nerfs à attendre.

Il hésita un instant, ne sachant pas s'il devait continuer ou se taire. Puis se décida :

— Tu le sais peut-êt' pas, mais j'ai travaillé dans le Valais, dans l'temps.

— Ma foi, on prend où on trouve.

— Bourrelier que j'faisais. Enfin un peu d'équarrissage aussi pour le cuir, mais c'étaient surtout les colliers de vaches qui m'intéressaient... Je les tressais à la valdotaine, tu sais, avec du canevas de cuir.

— Ma foi, fit encore le père d'Adelin, ne sachant pas où voulait en venir le petit homme avec ses souvenirs de bourrelier.

— J'étais dans le Val de Bagne, tu connais ?

— De nom.

— Ben derrière, y a Derborence, ça vous dit rien, ça, Derborence ?

Sans laisser aux deux hommes le temps de répondre il enchaîna :

— C'est la plus grande catastrophe de tous les temps. Ça s'est passé y a une paire d'années, en 1700[1]

---

1. La catastrophe de Derborence dans le Valais suisse s'est produite le 23 septembre 1714 au milieu de l'après-midi. Le temps était beau, il n'y avait eu aucun signe avant-coureur d'éboulement quand la partie occidentale des Diablerets s'est effondrée sur les alpages de Derborence. Cinquante fermes et chalets furent écrasés, tuant une quinzaine de personnes et plus de cent cinquante bêtes. Au sujet de cet effondrement, sans doute l'un des plus importants qu'aient connus les Alpes, les spécialistes parlent d'un éboulement sec dû aux roches très fissurées et travaillées par les eaux de ruissellement du glacier qui se trouve au-dessus. Un deuxième éboulement s'est produit quelques années plus tard, en 1749. Bien que moins impressionnant par son ampleur, il fut tout aussi meurtrier.

et quelque chose, j'sais plus trop, mais un jour la montagne s'est effondrée et a tout enseveli, les fermes, les bêtes et les gens. Y a eu des dizaines de morts. Là-bas, y s'en souviennent comme d'hier.

Un grand trou s'était ouvert dans les regards. Les yeux restaient collés sur le couloir là-bas, raide et froid comme un bois de justice, chacun cherchant un indice, quelque chose de concret, de quoi espérer à défaut de savoir.

Pour atténuer le trouble qu'il venait de semer, le petit homme tempéra son histoire avec des mots devenus pourtant inutiles :

— C'était y a deux siècles, ce que je vous raconte, c'est donc pas d'hier, et puis ici vous risquez rien, vous êtes sur l'autre pente. Entre les deux, y a tout le ravin.

— Et Armand et les autres, qui sont juste sous la coulée.

— C'est sûr, concéda le petit homme, tout désolé d'un coup d'avoir trop parlé.

Il marqua un temps comme pour retrouver le droit-fil de son histoire puis finalement dévia sur un autre registre.

— Le plus incroyable dans tout cela, c'est qu'un berger, donné pour mort, est réapparu trois mois après.

— Trois mois ? fit Adelin, resté muet depuis le début.

— Si j'te le dis...

— Pas possible.

— Ils étaient résistants dans c'temps-là, tu sais.

— Et pour se nourrir, boire, se soigner...

— Des racines, des plantes, des sources. Ils savaient se débrouiller.

Adelin leva les sourcils pour dire son doute. Du bout des doigts, il lissa sa moustache d'un petit geste roulé. C'est seulement à cet instant qu'il leva les yeux vers son père. Il faisait le même geste sur des moustaches plus longues, plus tombantes, et cendrées depuis longtemps. L'un et l'autre échangèrent l'un de ces regards lointains dont on partage le sens sans en connaître la raison.

Ensuite ce fut comme après un sanglot, ils reprirent leur souffle en silence, gardant le mystère de leurs pensées pour plus tard.

Le petit homme se sentit de trop, tout d'un coup. Il avait promis de donner la main pour les foins, il trouva l'occasion de proposer son aide pour les tavaillons.

— Je sais y poser. J'suis moins lourd que vous, ça ira plus vite, passez-moi une poignée de clous, lança-t-il d'une traite comme pour se rattraper.

Il avait déjà une planchette en main.

— Nous, on cloue pas.

— Parce qu'on vous a pas montré.

Et derechef, il retourna son tavaillon.

— Là, expliqua-t-il avec son pouce, tu perces avec un clou chauffé au rouge, ça cuit le bois. Après c'est dur comme de l'ardoise, tu peux y aller, ça bougera jamais.

— C'est trop de temps, coupa Adelin, j'dois monter à l'alpage.

— Passes-y-moi quand même, on va les monter à la valaisanne avec des habillages d'angle. Vous ne connaissez pas, fit-il, fier de ses mots, j'vais vous y faire voir.

Et en deux bonds, il fut sur le toit. Contrairement aux gens d'ici, il entreprit de superposer les tuiles de bois en trois recouvrements latéraux et quatre dans la longueur. Très vite, apparut un motif en forme d'éventail.

— C'est beau à l'œil, non ?

— Tant que ça tient.

— Par Dieu si ça tient, c'est pas pour rien qu'on glisse toujours un billet sous un toit de tavaillons.

— Un billet ?

— Un bout de papier, ça s'appelle le « billet du mort ».

Adelin et son père le regardèrent.

— Dessus, on écrit c'qu'on veut, c'est le secret du tavaillonneur. Et quand on le découvre le jour où on refait le toit, y a bien longtemps que celui qui l'a écrit il a plus mal aux dents. C'est te dire si ça dure, un toit comme ça.

Et il ajouta, pour prolonger de quelques instants l'intérêt suscité par ses mots :

— Y a des familles qui sont tombées de haut, avec ces histoires de billet. Des femmes qui levaient le cul en cachette, des marmots qu'appartenaient à d'autres et des « cornus » qu'avaient fait les fiers toute leur vie sans se douter de rien.

Tout en plaçant ses rangées de tavaillons, il raconta encore des bouts d'histoires glanées en Valais, en Pays vaudois ou ailleurs. Sur le point de poser la dernière rangée de tavaillons, il se releva puis porta les mains à ses reins. Et avec un rictus de la joue comme on en fait pour se curer une dent, il lâcha :

— Bonsoir, c'est pas faute de chercher, mais autant de rochers suspendus, j'en ai jamais vu.

7

Avec le soir, le ciel s'épaissit. Ce n'était pas le gris lourd des temps d'orage mais un blanc farineux où la lumière passait comme à travers un tamis. Les sommets semblaient couverts d'un vernis qui les rendait plus proches, presque à portée de main. Le temps était en train de changer, pas encore dans les vallées, mais là où le ciel et l'air se délayaient pour former la couleur du jour.

Plusieurs fois, Adelin chercha du regard d'autres indices et parut contrarié par cette avancée lente des nuées. De longues franges grises apparaissaient dans le lointain, formant des plis que le vent d'altitude ne pourrait bientôt plus défroisser.

Adelin s'était promis de monter à l'alpage vers la fin d'après-midi. Là-haut vers la Golèse, les bêtes avaient enmontagné aux beaux jours du printemps. Avant guerre, c'était l'occasion d'une fête pour célébrer l'arrivée de la belle saison. Après tous ces mois passés à l'étable, appelée ici écurie, à piétiner dans les odeurs molles du fumier, la vie renaissait avec l'éclosion des ficaires jaunes et des anémones de printemps.

En l'absence des hommes, les femmes avaient dû s'organiser. Dès la Saint-Vincent, les plus jeunes montaient aux alpages pour s'occuper des bêtes. D'autres allaient fromager à tour de rôle dans les chalets d'altitude, aidées de quelques anciens qui descendaient les fromages dans la vallée une fois par semaine. Portant sur le dos le crochet, cette sorte de claie de bois ressemblant à une caisse de vitrier, ils demandaient à leurs vieux corps bien plus qu'ils ne pouvaient. Et que la charge leur cassât l'échine importait peu, ils avançaient de leur pas lent et appuyé, les lèvres closes, avec ce sentiment pur et simple de partager un peu la misère de leurs enfants.

Parmi ces femmes, était Bertille. La promise, l'aimée, celle à qui Adelin avait tout juré au soir de son départ : ne pas se trahir, s'aimer toujours, s'écrire, s'échanger à la même heure des baisers envoyés aux étoiles ou à la lune. Des promesses, faites les doigts enlacés, les lèvres mouillées et les paupières soudées par le murmure des mots.

Jusqu'au dernier instant, tous deux avaient espéré un report de la mobilisation générale. Et puis les lèvres s'étaient désunies, les mains séparées après un dernier effleurement. Ainsi, face à face, ils avaient longtemps écouté bourdonner le silence. Puis il avait fallu se résigner à partir la tête haute et le cœur renversé. L'envie encore, une dernière fois, de se toucher pour ne pas s'oublier, pour être sûr que tout resterait gravé. Se promettre une dernière fois puis ne plus se regarder. Ne pas faiblir, ne pas pleurer. C'était il y avait trois ans, presque jour pour jour.

Adelin marchait un peu voûté, de son pas long et régulier. Craignant la pluie, il avait troqué sa veste de tous les jours pour une vareuse de coupe longue, froncée à la taille et serrée par une sorte de lacet de cuir. Du drap de Bonneval, à en croire la couleur du tissu. Aux pieds, des brodequins à bout carré, cloutés aux semelles et aux talons. Sur le dos, un sac à grosses poches sur lequel était roulée une couverture. Rien à voir avec les trente kilos du barda réglementaire. Pourtant Adelin avançait de moins en moins vite sur le chemin pierreux menant aux alpages.

Plusieurs fois, il s'arrêta sans raison, ni fatigue. Au passage des Chavonnes, il emprunta un sentier puis coupa à travers bois pour rejoindre un ancien chalet d'alpage construit un peu à l'écart. C'était une simple cabane de planches posée sur un lit de pierre. Les branches basses des sapins lui faisaient un second toit, une sorte de coiffure d'épines vertes.

Sous sa chemise de chanvre portée à même la peau, Adelin se sentit frémir. C'était là, dans la touffeur du foin sec, qu'ils s'étaient aimés pour la dernière fois. Par repentir, un peu par superstition aussi, Bertille avait voulu demander grâce à Dieu pour ce péché d'amour. Adelin l'avait rejointe dans cet acte de contrition voulue par elle.

En souvenir, la jeune fille avait cueilli un chardon bleu à main nue et l'avait glissé sous la panne faîtière de la cabane.

« Si un jour il n'y est plus, c'est que Dieu ne nous aura pas pardonné », avait-elle murmuré en séchant du bout des lèvres le sang sur ses doigts.

Partout autour de la cabane flottait une odeur de résine. Au sol, le parfum chaud du terreau ; sur les troncs, les effluves échappés des écorces ; et au-dessus, l'haleine tiède des aiguilles brossées par les rayons de soleil.

La pierre palière, simple dalle de calcaire gris, servait à la fois de marche et de racle-pied. Pas de poignée ni de serrure pour tenir la porte fermée mais une petite clenche de bois appelée péclet, taillée au couteau et fixée par un clou à tête carrée. Pour ouvrir, il suffisait de le tourner.

Comme souvent, les gonds grincèrent un peu en fin de course. L'intérieur était drapé de gris. Même en plein jour, la nuit, ici, régnait en maître.

Après quelques instants passés à s'accommoder à la pénombre, Adelin se dirigea vers la grosse poutre faîtière. Bras levé, il chercha en aveugle. Rien. Puis revint en arrière. Rien non plus. Sur la pointe des pieds, il l'inspecta sur toute sa longueur, à la recherche de la fleur de chardon. Toujours rien. Dans le duvet de poussière, sa main creusait des empreintes comme des traînées dans de la neige.

Se reculant, il devina une forme coincée le long de l'arbalétrier, là où l'œil peinait à s'aventurer. Il s'en saisit. Trois têtes de chardon reposaient là, liées entre elles par une torsade d'herbe sèche. Trois comme les trois années écoulées depuis son départ.

Avec beaucoup de précautions, il replaça les fleurs sur leur lit de poussière, regarda une dernière fois les murs de planches, ce tas de foin sec bruissant en silence, et sortit à reculons. Ses pas n'avaient plus l'assurance d'il y a trois ans. Un peu voûtée, ses épaules étaient lourdes. Un peu ternis, ses yeux n'avaient plus le vernis d'un soir d'amour. Brisée, sa passion battait au vent comme une toile échancrée.

Depuis des mois, le doute sourdait en lui. Pas celui de l'amant trompé, Bertille était femme de raison et de droiture. Mais celui d'un homme rongé par la peur de faire souffrir en ne revenant pas.

De retour sur le chemin, il se souvint de cet instant où il avait pour la première fois entendu Bertille murmurer à son oreille. Non pas des paroles dites à voix basse, mais le murmure d'une femme qui aime. Ces mots glissés, ces phrases chuintées.

Plus haut dans les alpages, le chemin épousait l'arrondi des prés. Au loin, le regard avait beau s'affûter, il parvenait à peine à deviner les bêtes, taches fauves, blanches ou noires disséminées dans l'immensité d'une houle herbeuse. Et plus haut encore, là où le ciel et la roche se rejoignaient, la ligne de crête sciait les nuages en longues franges grises et immobiles.

Bien avant d'être parvenu au chalet d'alpage, Adelin vit venir à lui une boule de poils noirs et blancs, d'abord trottinant, puis accourant à grands traits. Bachal était chien de berger comme certains hommes sont charpentier ou forgeron, par tradition. A sa naissance, ce petit chiot un peu malingre n'avait pas su retenir l'attention de son maître. Sur une portée de six, trois étaient promis à la noyade dans le bassin de bois, derrière la ferme.

« Fera jamais rien de bon, avait assuré son maître en essayant d'étouffer ses jappements dans les remous d'eau froide.

— C'est à voir, plaida Adelin, venu livrer un chargement de bois au propriétaire des lieux, homme bourru et querelleur.

— Tout vu, mon gars, tout vu, mais si tu l'veux, après tout...

— On en a déjà. »

Pas même navré, l'homme vociféra encore quelques injures, s'en prenant aux bêtes, mâles et femelles, et plongea une nouvelle fois la boule de poils au fond du baquet.

« Laisses-y, j'te le prends », cria Adelin avant qu'il ne fût trop tard.

L'autre mit du temps à desserrer son étreinte. Il y avait dans son geste comme du dépit de devoir abandonner sa besogne. Quelque chose à mi-chemin entre la haine et le ressentiment suintait de ses petits yeux noirs braqués sur l'eau du bassin.

« Ote-le de ma vue alors, avant que je change d'avis », brailla-t-il en tendant la boule de poils ruisselante à Adelin.

Celui-ci l'emmitoufla dans sa veste et l'installa à l'avant de son chariot protégé par des bûches de bois comme derrière les murs d'un fortin. Ce fut sur la route du retour que lui vint l'idée de l'appeler Bachal, à la fois en souvenir de son lieu de supplice et de l'endroit de son sauvetage.

Comme toujours, Bachal finit sa course en deux ou trois grands bonds avant de venir se frotter dans les jambes de son maître. Habitué à faire la fête, il se mit à japper à petits coups pointus, la queue en fouet, le museau en avant. Par malice, il faisait tout pour échapper aux caresses, coulant son corps entre les jambes d'Adelin, s'aplatissant au sol pour aussitôt repartir d'un saut de côté, baguenaudant de la tête sitôt qu'il sentait la main approcher.

Et puis d'un coup, il s'arrêta, la truffe au sol, les yeux inquiets. Il y avait une longue interrogation dans son regard. Après quelques hésitations, il se releva et flaira à petits coups timides les bas de pantalon d'Adelin. Puis s'enhardit et finit par coller son museau sur le haut de sa cuisse.

Alors seulement, Adelin lui prit la tête entre les mains, s'attarda longtemps sur les os du crâne, qu'il caressa du bout des pouces. Ses autres doigts fouillaient dans les poils longs comme dans une tignasse emmêlée. Chaque fois qu'ils rencontraient un nœud ou de la bourre, ils arrêtaient pour ne pas tirer.

Bachal le regardait sans bouger, assis sur son train arrière, hésitant à faire la fête comme les autres fois. Plongeant dans ses gros yeux ronds, Adelin le secoua un peu de la voix, sans autorité ni brutalité :

— V'là que tu te méfies de moi, maintenant ?

La main caressait toujours, du cou au garrot, du museau aux oreilles.

— C'est l'odeur du pansement, hein, qui te chagrine ? Faudra t'y faire, mon vieux, dit encore Adelin, se mentant à lui-même.

Puis, à court de mots, il se remit en marche, son chien trottinant à son côté. Sans prévenir, l'eau noire s'était remise à sourdre, remplissant tout l'intérieur de son corps. Partout où il y avait un vide, elle suintait comme d'une pierre poreuse. Le ventre, les entrailles, même l'estomac d'où montaient des relents acides en étaient pleins. Dans la bouche, ce n'était guère mieux. Depuis son arrivée à la gare, un goût inconnu s'était installé en lui. Un goût amer qui râpait la langue et desséchait la bouche.

A mesure qu'approchait le chalet d'alpage, Adelin eut le sentiment que tout s'obscurcissait, les prés, le ciel, les massifs. Seule la grande cabane accroupie dans la butte restait dans la lumière. Son toit semblait immense, tout couvert de planches de bois blanchies par le gel et la pluie. Sur la grande façade, des portants soutenaient une sorte de galerie où était entassé du bois de chauffe. Et sur la main courante, du linge séchait, manches et col en bas. Tout cela, Adelin le vit d'un seul regard, absent, presque vide.

Son sang battait fort. En haut du poitrail, au bas du cou, aux tempes aussi, il sentait monter des vagues chaudes qui s'enchevêtraient puis refluaient en ordre dispersé. Il avait beau respirer, rien n'éteignait la fournaise de sa gorge.

Bachal essayait bien de faire diversion en croisant sa course, en marchant de biais, en montant sur la levée de terre, rien n'y faisait. Son maître ne s'intéressait pas plus à lui qu'aux pierres du chemin. Il s'enhardit alors de quelques jappements, puis d'un premier aboiement, mi-plainte, mi-grognement. Le second eut l'effet escompté.

En haut des cinq marches menant à la courtine, apparut une silhouette de femme. La taille était bien prise, les épaules saillantes malgré la robe de toile ample. Ni grande ni élancée, elle était fine de corps et frêle de membres. Cela se voyait à ses bras dénudés, à son cou, à sa nuque qu'elle tenait raide autant par fierté que par élégance. Lisse de visage, elle gardait de ses jeunes années quelques restes de son sur le front et les pommettes, comme les points de suspension d'une enfance pas finie.

D'abord elle hésita, la main occupée à relever le carré de tissu noué en fichu sur ses cheveux. Puis son visage s'éclaira. Tout partit des yeux, légèrement enchâssés sous des paupières en amande. Puis ce furent les lèvres qui s'ouvrirent sur un sourire charnu. Ce faisant, ses lèvres se transformaient en deux plis longs donnant à sa bouche une douceur qu'elle-même ignorait.

Bertille était fille de journalier. Elle savait sa condition, mais n'en nourrissait ni rancœur ni jalousie à l'égard de ceux qui possédaient du bien, terres ou bêtes. L'école, du moins pour les seules années où elle l'avait fréquentée, lui avait appris à compter sur elle-même, sans se soucier du regard des autres.

Les cinq marches descendues d'un bond ne furent pas un obstacle entre elle et Adelin. Sa robe de grosse toile bleue se gonfla en corolle, ses bras s'ouvrirent en croix, ses lèvres murmurèrent des mots connus d'elle seule.

L'étreinte fut longue pour ses bras frêles. Elle songea un instant à l'image un peu faible, peut-être ennuyeuse, qu'elle donnait d'elle-même en serrant ainsi ce corps aimé. Puis elle dénoua ses bras à regret, se recula et mélangea son regard à celui d'Adelin.

Jamais elle ne l'avait vu ainsi. Les yeux étaient les

mêmes, d'un bleu de glace, clair en surface, sombre à l'intérieur. Le visage était hâve, creusé, amaigri, tendu par les os comme une toile par des haubans. Elle s'arrêta un instant sur les cheveux, jadis bruns et drus, empoussiérés désormais au pourtour des oreilles et sur le haut des tempes. Seule sa moustache, d'un noir épais, conservait sa superbe, accentuant du même coup la pâleur des traits. Ses yeux allaient très vite d'un détail à l'autre, touchant, caressant, palpant, comme la pointe d'un pinceau.

— Enfin tu es là, murmura-t-elle en lui cherchant la main.

Elle remarqua à cet instant qu'Adelin avait gardé les bras le long de son corps tout le temps de leur étreinte. Elle ne voulut y voir que maladresse, pudeur peut-être, de savoir d'autres filles au chalet à les regarder.

Comme Adelin ne répondait pas, elle renouvela son geste. Insistante, elle chercha sa main, son bras, quelque chose pour se prouver qu'elle était dans l'erreur. Quand elle rencontra la grosse paume rugueuse, elle reprit espoir, faufila ses doigts entre ceux d'Adelin et attendit. Rien ne vint. Pas même cet effleurement, ce début de caresse quand les doigts un peu gauches, un peu pressés, hésitent entre le futile et l'agréable.

Avec la prescience qu'ont les femmes des choses cachées, Bertille se rapprocha un peu d'Adelin et, sur la pointe des pieds, cueillit un baiser sur ses lèvres fermées. Lui ne bougea pas. Raide, le regard posé droit devant lui, il contraignait son corps à l'immobilité. Puis, d'une voix qu'elle ne lui connaissait pas, il proposa de gagner le chalet.

Sentant ses mots lui échapper, Bertille fit oui de la tête. Ses milliers de mots pourtant brodés, soir après soir, au revers de sa mémoire.

En avançant sur le chemin, elle se dit que l'essentiel était là : Adelin était vivant, marchant à son côté de son long pas appuyé, blessé, peut-être diminué mais bien là. Elle le regarda du coin de l'œil pour s'en convaincre, triste et fière à la fois.

Arrivé devant l'entrée, Adelin ne monta pas les marches comme elle s'y attendait. Il se contenta de se défaire de son sac et le garda à la main, tenu par une bretelle.

— Au fenil, y a quelqu'un ? demanda-t-il de la même voix blanche, absente et distante à la fois.

— Non, fit-elle de la tête.

Bertille s'était entendue répondre, mais elle aurait juré n'avoir prononcé aucun mot. Ceux qu'elle aurait voulu dire étaient les siens, ceux envoyés à Adelin aux heures bleues de la nuit.

— Entrons, dit Adelin, en poussant la porte du pied et en se tenant au large afin que Bertille pût entrer sans risque de l'effleurer.

Tout de suite, il posa son sac à terre et chercha où s'asseoir. Ses paupières battirent une fois, une seconde, puis ce fut sa gorge qu'il éclaircit d'un court raclement inutile et gêné. Le billot fit office de tabouret. Lui, assis, les yeux en terre, les avant-bras sur les genoux, les mains pendantes. Elle, debout, frêle comme avant un malaise, les lèvres blanches, la bouche ouverte.

— Voilà, Bertille, dit-il d'une voix maladroite, faut plus qu'on s'aime.

La jeune fille n'entendit que la fin de la phrase. Comme un fer posé sur une plaie, elle se la répéta en écho aussi longtemps qu'elle le put, se pensant coupable de n'avoir pas su aimer, ou peut-être mal ou peut-être trop. Sa main se posa au bas de son cou, à la recherche d'un bijou, ensemble cœur et croix passé dans un ruban de velours noir, qu'elle pressa comme elle l'eût fait d'un scapulaire ou d'une image pieuse.

Adelin était immobile, la nuque cassée, les épaules rentrées. Un sac de grains, même des plus lourds, ne l'aurait pas terrassé davantage. Seul un tressaillement irrégulier d'un sourcil trahissait sa souffrance.

Avant de trouver le courage de parler, mille fois il s'était répété la même phrase : ne pas s'attacher, ne pas aimer, faire comme si c'était la dernière fois qu'il était là, au moins ainsi les autres ne souffriraient pas de son absence, ne souffriraient plus à cause de lui.

Bertille chercha son regard. Elle aurait voulu l'empoigner, le fouiller, lui offrir ses mots. A bout de souffle, elle n'en retrouva aucun et se contenta de demander :

— C'est pour une autre que tu ne me veux plus ?

Lentement, Adelin leva la tête, chercha Bertille de son regard brillant et, avec l'immense détresse qu'il cachait si bien, répondit sans ciller :

— Oui... pour une fille rencontrée là-bas.

Et, sans faiblir, ajouta :

— J'ai logé quelque temps chez elle durant l'hiver...

Bizarrement, Bertille n'eut pas mal. Sur l'instant, elle se demanda si c'était comme ça quand on était blessé à la guerre. Puis elle essaya de respirer en mettant ses mains en croix sur sa poitrine et inspira plusieurs fois de grandes goulées. « De l'air, se dit-elle, c'est important pour ne pas mourir. »

Quand Adelin se leva et passa devant elle, le visage renversé, elle sentit à peine sa main lui prendre le bras et serrer très fort. Des doigts qui ne disaient rien ou trop de choses en même temps. Elle ne savait plus, elle n'entendait plus. Elle réussit seulement à bredouiller, fière et digne derrière ses larmes :

— Puisque tu ne m'aimes plus, je t'aimerai pour deux.

8

Adelin ne se souvint ni de son retour, ni de l'heure à laquelle il s'était arrêté à la cabane des Chavonnes. Sa couverture sur les épaules, il s'était endormi à même le sol, le dos contre la paroi de bois. Le froid l'avait réveillé.

Il appuya sa joue contre le bois rugueux. L'air sentait la nuit. Aux odeurs de terre se mêlaient celles d'herbe mouillée. Il respira longtemps, à longues goulées. De la bouche, des poumons, du ventre il s'imprégna de cette mémoire des choses de chez lui.

Dehors, le silence était total. Les arbres dormaient de leur sommeil immobile, à peine perturbé par une branche qui, de temps en temps, se détendait.

Adelin se leva, ouvrit la porte et regarda le ciel pour y lire l'heure. Vers le levant, le noir était un peu élimé, un peu dilué. Ce n'était pas encore une teinte, tout juste un soupçon de jour.

— Ça approche, se dit-il en prenant son sac par les bretelles.

Prêt à le charger sur son dos, il se ravisa, mit un genou au sol et plongea la main dans l'une des poches de côté. Il semblait malheureux, le regard fugitif et las. Ses doigts cherchèrent longtemps au fond des plis. Quand il se releva, il tenait entre ses doigts une petite bague en fer-blanc. Un anneau large comme un passant de ceinture, travaillé chaque soir sur un étau de fortune installé dans la tranchée. Un drôle d'outil dont il fallait bloquer les mâchoires avec l'estomac pendant que les doigts s'évertuaient à poinçonner le métal pour y tracer une double rangée de grains d'orge. Et au milieu, leurs deux initiales.

Les yeux secs, il chercha les trois têtes de chardon et posa l'anneau à côté. Il demeura quelques instants ainsi, le bras en l'air, les doigts dans la poussière, sans pouvoir les détacher de ce petit anneau de fer-blanc. Son âme battait comme une voile morte.

Au fond de lui, très loin, là où il ne voulait plus aller, il savait sa décision en sursis. Que la guerre vînt à finir, les combats à cesser, et tout redeviendrait comme avant, sa vie, son amour pour Bertille, ses espoirs de famille à construire et de bonheur simple.

Il hésita encore, puis, à l'inverse de certains qui levaient la main pour qu'une balle ennemie vînt mettre fin à leur calvaire, il baissa la sienne pour un combat solitaire livré depuis des mois à l'insu de tous.

Les jours suivants s'égrenèrent au rythme des orages. Comme toujours, août apporta son cortège de nuages lourds. Dès midi, le temps virait au gris. Un gris grumeleux, plus sombre sur les ubacs, plus étouffant sur les coteaux sud. En équilibre sur ses rayons, le soleil hésitait à prendre parti puis finissait toujours par céder la place en fin d'après-midi.

Plusieurs fois, Adelin dut hâter sa besogne pour échapper à l'orage. Avec son père, il avait listé les urgences : le foin d'abord à rentrer sans tarder. Ils convinrent de faire au plus vite en fauchant les prés les plus proches, pour les plus éloignés on verrait dans les derniers jours. Chaque matin, ils partaient la faux sur l'épaule, le coffi à la ceinture, sorte de corne de bois où l'on mettait la pierre à affûter après l'avoir enveloppée dans une poignée d'herbe mouillée. Ils allaient ainsi toute la matinée, sans un mot, séparés l'un de l'autre par une rangée d'andains d'où s'échappaient des parfums aux saveurs sucrées. Adelin peinait à chaque mouvement. Aussi dut-il revoir son geste, l'adapter pour en réduire l'amplitude et accepter, les lèvres serrées, de n'être plus comme avant.

Toutes les quatre longueurs, les deux hommes s'arrêtaient. La lame en l'air, ils en affûtaient le fil à longs coups de pierre. Il y avait comme une musique à deux voix dans ce concert. Les deux faux venaient de Taninges, un village tout proche où l'on fabriquait des outils dont la réputation s'était répandue bien au-delà des régions de Savoie.

Souvent le père regardait son fils. Au prétexte de voir comment il s'y prenait, il le dévisageait entre deux coups de pierre, se pénétrant de ces dernières images de paix et de labeur. Plusieurs fois, il ferma les yeux et les rouvrit en hâte comme pour vérifier que son fils était toujours là. Adelin restait de marbre, muré dans un silence d'apparence, prompt à reprendre le travail sitôt qu'il se sentait observé.

L'autre urgence, c'était le bois. Les bras faisaient défaut pour l'abattre. Aux premiers temps de la guerre, on avait cru à un retour rapide des hommes. On avait attendu et espéré. Les vieux avaient ressorti les haches et les cognées. Pour scier, les femmes avaient donné la main. Pour ébrancher, les jeunes s'y étaient mis par jeu d'abord, par devoir ensuite.

Puis était venu le temps du doute et des retours incertains. On avait puisé dans les réserves, abattu autour des fermes, le long des chemins, pas toujours du bon bois, pas toujours à la bonne lune. On avait fait comme on avait pu en taisant dans les courriers ces arrangements avec les habitudes et ces entorses aux traditions.

Le bois manquait. Il n'était que de regarder les galeries autour des fermes pour s'en convaincre. Vides pour la plupart. Ni bois de chauffe, ni bois d'œuvre. Quelques restes économisés du dernier hiver, du petit bois coupé à la goyarde et jeté en tas à l'entrée des bûchers mais presque rien pour se chauffer.

Adelin s'en était inquiété dès son arrivée.

« Faudra pas tarder à s'y mettre, j'aurai pas le rendement d'avant », avait-il prévenu.

Ce fut pire. Le mouvement du bras tirant le passe-partout se révéla impossible. Ce ne fut pas mieux avec la hache et le merlin.

Le temps s'écoula en semaines, puis en jours. Personne ne parlait de son retour au front. Sa mère espérait une possible prolongation de sa convalescence.

« Ça s'est déjà vu », avait-elle insisté plusieurs fois d'une voix plaintive où les mots s'inscrivaient en creux plus qu'en relief.

Sans lever les yeux de son assiette, Adelin avait expliqué les hôpitaux militaires, les commissions de réforme, les régiments de l'arrière et les affectations protégées. Il parlait dans l'à-peu-près, sans certitude ni conviction, assemblant des mots auxquels il ne croyait pas lui-même.

Chaque fois, le père écoutait, s'agrippant au moindre espoir, classant chaque détail au rang du possible.

Puis vint le matin du dernier jour. Adelin retrouva ses effets militaires sans émotion, sans surprise non plus de les découvrir propres et pliés en bout de table. Il ne remercia pas, ne demanda rien, ne précisa ni son heure de départ, ni sa destination. Il n'avait plus de mots pour parler de cela, seulement l'image d'un drap terreux et gris qu'il allait bientôt devoir écarter pour passer de l'autre côté.

Alors, comme s'il se fût agi d'un autre jour, il annonça, le visage à peine éclairé par la lumière tombant de la petite croisée :

— Je pars là-haut, je serai de retour dans le tantôt.

Sa mère se tourna d'un bloc. D'ordinaire si prompte à réagir, elle se sentit démunie tout d'un coup. La tête vide, les sourcils froncés, elle eut un regard vers son mari, vers sa casserole qui claquait du couvercle, et, pour finir, vers Adelin.

— Y me faut du silence, ajouta-t-il d'une voix absente, c'est ce qui va me manquer le plus là-bas...

Son père ne bougea pas, ne tressaillit même pas. Le

dos voûté tel un tâcheron, il observait les os de ses grosses mains, impuissantes à repousser le mal qui gagnait de nouveau. Il pensait au temps d'avant, à toutes ces longueurs de corde tirées à deux, aux prises sur lesquelles il posait les doigts de son fils quand il était enfant.

Après, Adelin fourgonna dans le banc-coffre, à la recherche de son sac à larges bretelles. A l'intérieur, il entassa une veste de gros drap, une cagoule de laine et des mitaines en toile. D'un arrondi du coude, il tailla un morceau de pain, découpa un reste de lard froid et un morceau de tome vieille, couverte de poussière ocre, et les serra dans un torchon noué aux quatre coins.

Le père le regardait faire, le sourcil cabré. Après un temps d'hésitation, il ne put s'empêcher de demander :

— Equipé comme ça, on peut savoir où tu vas ?

Il parlait épais avec une voix aux sonorités graves et longues, inhabituelles chez lui.

— Vers Pointe Rousse, peut-être jusqu'au glacier des Avoudrues...

Les regards se croisèrent. Beaucoup d'envie chez le père, beaucoup de lassitude chez le fils. Mais, entre eux, la même confiance, le même respect l'un pour l'autre qu'aucun mot ne pouvait entacher. Une attitude qui forçait l'âme à l'essentiel.

Un peu emprunté, le père se leva et tira du bas de la crédence une gourde de bois. Il la secoua et, à l'oreille, en estima le contenu avant de la tendre à son fils.

— De l'enfianne...

Après avoir remercié d'un coup de menton, Adelin enfila les bretelles de son sac, les ajusta et sortit. Dans sa main droite, son piolet, dans la gauche, un rouleau de corde de chanvre. Sitôt dehors, il le passa en bandoulière sur sa poitrine et emprunta l'étroit sentier menant aux dalles du Tuet.

Le temps était au beau depuis la veille. Les orages avaient lessivé le ciel, détrempé le sol, creusant des ravines un peu partout sur les chemins. Sous les pieds, l'herbe, les feuilles, l'humus chuintaient, gorgés du trop-plein de pluie des jours passés. De loin en loin, jasaient encore quelques filets d'eau qui s'enfuyaient entre les roches avant d'être bus par des fouillis d'herbes filasse. La descente se fit à bon pas.

Une fois sur l'autre versant, Adelin s'arrêta pour redessiner des yeux chaque sommet. Là-bas, la pointe du Tuet, d'où était parti le premier éboulement. Par mauvais temps, son sommet en forme de canine éperonnait le ciel et les nuages jusqu'à les faire pleurer.

A main droite, les Dents d'Oddaz et leur long défilé ombreux où le vent jouait sur les arêtes comme dans des tuyaux d'orgue. Plus loin encore, la pointe de la Golette, la Corne au Taureau. Derrière, dans le penchant de la montagne, les rampes de Folly qui menaient au lac des Chambres, où s'écoulaient les bédières du glacier des Avoudrues. Par beau temps, deux heures de bonne montée suffisaient pour s'y rendre, avec une halte à la cabane de Folly.

Simple bâti de planches, elle servait tour à tour d'abri quand le temps se gâtait, de miche à foin et de refuge de berger. On la donnait aussi pour lieu de retrouvailles, quand au plus chaud de l'été on abandonnait les alpages à la garde des chiens pour s'y retrouver le temps d'une nuit. On racontait, on supposait, on jalousait ces moments volés sans jamais dévoiler ni nom ni date. Et puis plus tard, quand venait le temps des souvenirs, on recousait à petits points serrés tous ces instants de vie qui faisaient un passé.

Devant la cabane, étaient couchés trois gros troncs d'épicéas mal ébranchés. En les voyant, Adelin se souvint d'un ancien projet de réfection du toit. C'était avant-guerre. Depuis, tout était resté en plan. Pareil pour ces terres abandonnées, pour ces futaies qui gagnaient sur les prés, pour ces scieries dont l'activité était presque partout en sommeil, pour la clouterie aussi, fermée l'an passé, faute de bras pour la faire tourner.

Adelin s'assit sur l'une des grumes, dont l'écorce bâillait comme une semelle usée. Plusieurs fois, il parcourut des yeux les étirements de brumes filés de longues mèches laineuses, puis, brusquement, s'arrêta. Les sens en éveil, il tendit l'oreille pour écouter. Rien d'autre que le vent. Il y puisa une longue lampée d'air qu'il garda longtemps en lui. Aucun bruit dans la pente. La respiration retenue, il écouta encore à la manière des chasseurs de chamois, avec cette tension des sens leur permettant d'entrer dans le silence.

Des yeux, il inspecta la cabane, détailla ses abords, s'arrêta sur le toit aux planches grisées. Rien d'anormal.

Puis, brusquement, leva les yeux. Là-haut, presque au-dessus de lui, trois milans décrivaient dans le ciel d'immenses arabesques. D'ordinaire, leurs vols étaient circulaires, glissés et lents. Cette fois, ils enchaînaient des volutes surprenantes, des embardées inattendues.

Dans la lumière du matin, on distinguait leurs têtes claires rayées de sombre et leurs corps aux reflets roux, presque fauves par endroits. Leurs ailes, deux grands triangles finis de blanc, et leur queue échancrée leur donnaient des allures de cerfs-volants. Adelin observa ce vol étrange. Les oiseaux étaient différents dans leur manière de se comporter, tout à la fois prudents et inconstants. On eût dit que l'un d'eux indiquait aux autres où se placer pour mieux observer la pente. D'habitude, les pies ou les corneilles noires ouvraient la voie en inspectant les lieux avant que les milans, moins intrépides, vinssent voir de près. Là, ils étaient seuls. Leur vol était beaucoup plus haut qu'à l'ordinaire quand il s'agissait de se disputer une charogne ou de se partager la dépouille d'un nocturne.

Un large épaulement de roche empêchait de mieux voir. A mesure qu'il observait le vol, Adelin se forgea une conviction : charogne ou non, la bête devait se trouver à hauteur de l'éboulement. Peut-être même dessous. D'un rapide coup d'œil, il estima le temps nécessaire pour y accéder par le travers. Ses yeux allaient du hérissement de roches au vol des milans, énigmatique et capricieux.

Il y avait un premier couloir à passer, sans moyen pour se reprendre en cas de dérochage. Puis un second permettant de parvenir au chaos de roches amoncelées dans la pente. Avec son père, le passage avait été difficile, seul il devenait périlleux.

Sur le moment Adelin ne comprit pas pourquoi il se lançait dans cette bataille indécise, inutile de surcroît. L'envie de voir, de savoir, d'être le premier.

Il avança d'abord prudemment, sûr de ses pieds, habile de ses mains. La roche était froide à cette heure du matin, un peu humide, un peu glissante. Ses doigts cherchaient en aveugle et décidaient sans hésiter, comme jadis, comme avant.

Lui revint alors en mémoire l'image d'un livre scolaire. Sous Napoléon, l'armée revendait aux enchères les tenues des soldats morts en campagne. Le produit de la vente était versé aux veuves et aux orphelins. Pour les célibataires, tout revenait au régiment. Une image bleue et rouge, au trait fort et aux personnages martiaux comme en éditait par milliers Epinal et sa manufacture.

« Ça doit plus se faire, songea Adelin, cela prendrait trop de temps ou seulement pour les gradés, les officiers peut-être. »

Le premier couloir fut passé rapidement. Il ne s'agissait pas de lanterner à cet endroit. Sur toute la hauteur, la roche suintait avec parfois, au fond des failles, des ruissellements difficiles à situer. Adelin avança encore, le dos légèrement voûté, les bras en équerre. Un mètre, un autre. L'haleine froide de la roche ne le gênait pas, les prises de plus en plus glissantes non plus. Il tenait ferme, les doigts crispés, les mâchoires serrées. Il se savait fort sur ce genre de passage.

A l'approche du second couloir, il jeta un regard

par-dessus son épaule pour situer le vol des milans. Toujours là, presque au-dessus de sa tête, silencieux, imperturbables et pourtant dérangeants.

Bien calé sur ses pieds, le corps repoussé de la paroi, Adelin tira du cou pour mieux voir, peut-être glaner un indice, repérer un bout de fourrure ou un tas de plumes. L'amoncellement de roches cachait tout. Il tira encore un peu à droite jusqu'à un gros éperon qu'il franchit en puissance. Son geste l'entraîna plus loin qu'il ne l'eût souhaité, un bon mètre au milieu de l'éboulement.

En posant le pied, il sentit la roche vaciller puis s'immobiliser. Adelin creusa les reins, écarta les bras, fléchit les genoux pour se reprendre, pareil à un danseur de boîte à musique faisant sa ronde.

— Bon Dieu, souffla-t-il, manquerait plus que ça lâche.

Tout de suite, il pensa à son piolet. La pique, la pente, le seul moyen de freiner sa chute. Passé dans son rouleau de corde, il essaya de le tirer par le manche, de le pousser, de l'arracher. Trop tard, ses pieds glissaient, la roche se dérobait. Sans doute ses mains allaient-elles pouvoir s'accrocher à un bout de rocher, quelque chose de fixe pour ralentir sa chute, se freiner avec les pieds et les jambes, et se traîner ensuite hors de la coulée.

Il sentait son sang s'affoler, refluer aux tempes, à la gorge et au front. Le souffle court :

— Vérole de vérole, cracha-t-il en s'injuriant lui-même.

Il s'accusait sans trop savoir de quoi, s'en voulait de n'avoir pas su mesurer son geste. Sa peur était pour les autres, pas encore pour lui. Pour Armand, son champ, sa ferme, ses bêtes et tous les autres.

Avant d'admettre l'évidence, il mit plusieurs secondes. Ses mains et ses bras lui faisaient mal. Sa tête aussi, un mal brillant et sourd qui cognait contre ses yeux. Grands ouverts les yeux, plus par instinct que par peur. Il vit plusieurs fois passer des morceaux de ciel, le gris des roches, le brun d'un tronc. Quand il comprit que la montagne était en train de lâcher et avec elle des milliers de tonnes de roches, il se fit petit et pensa à sa capote bleu horizon repassée par sa mère, à sa vareuse, à ses effets militaires.

« A qui vont-ils être donnés ? » se demanda-t-il, comme s'il s'était agi de la seule urgence du moment.

Les bras refermés, les genoux pliés, la tête rentrée, il se laissa emporter par ce vacarme de roches déboulant dans la pente. Résigné, il ne voyait plus rien. Sourd, il n'entendait pas encore le grondement de volcan qui enflait autour de lui. Insensible, il ne grimaça même pas quand sa tête heurta un rocher en forme de bec d'aigle. Après, ce fut le noir. Un noir intense dans lequel Adelin se laissa glisser, les yeux grands ouverts sous la verrière du ciel.

9

Dans la vallée, tout le monde crut d'abord à un grondement d'orage. Quelque chose de puissant et de sourd, venu des monts du Jura ou des confins du Bugey, peut-être de plus loin encore. Puis tout se mit à vibrer. L'air se déchargea d'un seul coup de ses tombereaux de bruits, les déversant à l'aveuglette là où il pouvait. Ça vibrait de partout : sur les vitres des fenêtres, dans les piles d'assiettes, sur les étagères des vaisseliers, le long des tuyaux des poêles et des verres de lampes.

Dans son atelier installé au fond du bûcher, le père d'Adelin, occupé à retendre une lame de scie, suspendit son geste. Sous ses pieds, la terre tremblait comme sous les sabots d'un troupeau. Le châssis de bois contre la poitrine, il maintint la corde torsadée aussi longtemps qu'il le put, empêchant le tendeur d'acacia de partir en hélice. Il tendit l'oreille pour être sûr de ne pas se tromper. Puis, d'un geste précipité, il envoya tout valdinguer : la scie, la corde, le tendeur.

D'ordinaire, vingt secondes lui étaient nécessaires pour rejoindre sa ferme, cette fois cinq suffirent. Son cœur n'était plus qu'un seul et même battement, sa bouche une gueule de four. Sa femme était déjà là dans la courtine, à ne savoir où mettre ses mains, qu'elle essuyait machinalement dans l'envers de son tablier. Elle regarda son mari avec des yeux implorants, attendant qu'il parle et la rassure.

— Nom de chien, fit le père, les yeux fixés sur le Criou.

Sa femme porta la main à sa gorge. Ses doigts tâtonnèrent à la recherche de sa petite croix d'or cerclée d'une couronne d'argent :

— Jésus-Marie-Joseph...

Au passage, le père d'Adelin avait saisi une hache qu'il tenait près du fer, à la manière des écorceurs. Geste d'impuissance pour faire face à un danger bien plus fort que lui. Geste de courage quand même pour ne pas renoncer, se battre tant qu'il restait une goutte de force, une once de volonté.

— Nom de chien, répéta-t-il encore, la bouche tordue par un rictus, les yeux collés à la pente du Criou.

Deux coulées s'étaient formées. L'une partie de la Chaumette, comme on pouvait s'y attendre. L'autre venue de plus haut. On voyait nettement les troncs des sapins vaciller quelques instants sur leur base avant de se plier ou de s'affaler, se prosternant ou rendant grâce à genoux à la toute-puissance du Criou. Jusqu'à ce jour, il les avait tolérés dans ses plis, mais il venait d'en décider autrement.

Dans la pente, la roche dévalait de partout. C'était comme un lit glissant de pierrailles et de terre avec des éclats fusant et jaillissant en tous sens. Et par-dessus, dans un chaos précipité, des rochers enjam-baient tout, roulaient, rebondissaient, se brisaient et repartaient, amputés d'une rondeur ou d'un saillant. Quelques gros blocs ouvraient la voie, sûrs de leur force et prêts à en découdre avec le moindre obstacle. Ils écrasaient tout sur leur passage, insensibles et aveu-gles, déferlant dans un nuage de poussière et de bruit vers le champ d'Armand.

Le vieil homme était à l'écurie quand il entendit rouler les premiers blocs. Couché sous un chariot pour en renforcer le timon à l'aide de tire-fonds, il fut le premier à sentir vibrer la terre. En dépit de sa hanche raide, il réussit à se remettre sur pied plus vite qu'un gamin. Le temps de contourner la ferme, puis l'appentis, lui parut interminable.

— Nom de Dieu...

Ce n'était pas un juron, mais une supplication. En un instant, il vit son champ, sa ferme, sa grange et son mazot emportés par cette immense coulée fondant sur lui. Elle n'avait plus qu'à amorcer un coude entre les deux bois de sapins et de fayards, et s'enfiler tout droit. Après c'était comme une main, plat et sans obs-tacle. Une vie d'effort et de sueur effacée d'un seul coup du sort. Pétrifié, il n'entendait ni le fracas des roches en déroute, ni les appels de sa femme le sup-pliant de venir se réfugier derrière la maison.

— Nom de Dieu...

Il arracha un trident du tas de fumier et, armé de son outil, regarda débouler les rochers, prêt à défendre son bien en se battant une dernière fois.

Au village, le grondement se fit vacarme en un instant. Répercuté par les sommets, le bruit se mit à rouler, rebondissant sur les versants, heurtant les parois du fond de la vallée pour revenir amplifié et déformé. Les têtes se levèrent, hésitantes et timides comme au pied d'une croix, puis s'enhardirent.

— Ça vient de la Chaumette...

En entendant venir le vacarme, Anselme Duffoz jaillit de sous la grenette. Un espace couvert où l'on pesait le grain et le foin sans avoir à décharger les attelages. En sa qualité d'ancien guide-chef, il avait été de toutes les aventures de la vallée. Tour à tour porteur, guide, arpenteur pour le Service géographique militaire, orpailleur et cristallier, il avait aussi conduit plusieurs cordées de secours au glacier du Ruan et sur le Tenneverge. C'était au début du siècle.

Au fond de ses orbites comme creusées à coups de poing, deux petits yeux noirs observaient, immobiles. Il s'avança de quelques pas en direction de la fontaine de pierre appelée bourneau, la main en visière pour scruter la paroi.

— Ça part de deux endroits en même temps.

Du même hochement de tête, les deux hommes qui l'accompagnaient acquiescèrent. La montagne leur parlait autant qu'à lui. Tous deux avaient été porteurs et guides à leurs heures. Au temps où il fallait concilier travaux des champs et exigences des clients souvent ignorants de leurs difficultés à vivre, méprisants aussi pour leur condition de paysans des montagnes.

Le plus petit des deux s'appelait Constant. Les mains au fond des poches, il relevait de temps à autre son pantalon d'un mouvement de poignet machinal. Le bassin en avant, le dos en arc de cercle, il regardait la paroi de ses yeux gris, brouillés par l'âge. Tout avait son importance pour lui : les trajectoires, le déboulé des rochers, la vitesse, le bruit, la taille du nuage de poussière qui grossissait à vue d'œil.

— Ça n'ira pas jusque chez Armand.

— T'es sûr ?

— Ma foi, on peut jurer de rien.

Le troisième homme, Philippin à la Catiaude, était muet de naissance. Son visage couleur de cuir contrastait avec sa chevelure blanche, ondulante dans le cou et sur les oreilles. Il se passa la main plusieurs fois sur les joues hérissées de poils blancs. Puis ses doigts s'immobilisèrent aux commissures des lèvres. Du pouce et de l'index, il s'étira le coin de la bouche pour se donner le temps de voir et de comprendre.

Les trois hommes écoutaient autant qu'ils regardaient. Ils tâtaient la montagne, prenaient son pouls, attendant l'instant où sa colère allait retomber.

— Dites donc, vous autres... rugit une voix venue de derrière leur dos.

Les pieds bien à plat et les doigts crispés sur la main courante de l'escalier, le maire descendit les cinq marches à pas prudents. En bas, il explosa :

— Ça pète de partout et vous restez là à bayer aux corneilles.

Il s'approcha, dodelinant de la tête et des épaules. Plus très sûr du ton à adopter, il lâcha une phrase de circonstance, censée unir tout le monde dans l'infortune :

— Comme si on avait besoin de ça...

Puis, sa nature reprenant le dessus, il ne put s'empêcher de tancer les trois hommes comme des gamins
malappris :

— Remuez-vous, bon Dieu. Vous restez plantés là
comme si le ciel vous avait écrasés. C'est que de la
roche, après tout, y a sans doute moyen...

— Moyen de quoi ? demanda Anselme sans même
se retourner.

Le maire n'aimait pas l'adversité. Par principe
d'abord, par faiblesse ensuite. Sitôt qu'il sentait son
pouvoir contesté, il lui fallait en finir très vite en assé-
nant quelques formules de son cru. Cette fois, les
choses ne se présentaient pas au mieux.

Les guides l'impressionnaient. Par leur physique,
leur façon de juger sans parler, leurs exploits et leur
savoir auquel il n'entendait rien.

— Moyen de quoi ? insista Anselme, les bras toujours croisés.

— Je ne sais pas, moi, intervenir, secourir, aller voir
si on a besoin de vous, éventuellement de moi.

Sa phrase peinait à prendre son envol. Les mots ne
sonnaient pas comme il l'aurait voulu, le rythme mol-
lassait. Alors, il alla puiser dans ses vieux souvenirs,
au temps où l'Assemblée l'écoutait et où ses collègues
l'applaudissaient.

— C'est une histoire d'hommes, messieurs. Il y va
de votre honneur, de votre réputation de montagnards
et de bien plus encore. Puisque l'adversité nous
accable, à nous d'en briser les chaînes.

Là, il se sentit revivre. La phrase avait de l'allant, les mots de la rondeur, du moins le pensait-il. D'un regard circulaire, il jaugea son auditoire ainsi qu'un vendeur de pacotilles. Aucun des hommes ne l'avait écouté. Pire, tous trois demeuraient dos tourné, les yeux rivés sur l'éboulement. Pour ne pas perdre la face, il prit le parti de la mauvaise humeur :

— Tonnerre, vous m'entendez, ou quoi ?

Anselme le regarda par-dessus son épaule avec dans les yeux un mélange d'indifférence et de dédain.

— Tu parles trop.

— Comment ça, je parle trop ?

— Garde tes mots. Si y a des victimes, tu pourrais en avoir besoin. Et en attendant, va donc faire sonner les cloches, qu'on s'organise.

La réplique l'électrisa. Il avait beau souffler fort, l'air restait prisonnier de ses poumons. Son front avait la couleur et le fripé d'une crête de coq.

— Les cloches, ricana-t-il, c'est pas dans mes attributions. La préfecture, voilà ce que je vais faire, prévenir la préfecture.

Et du même pas clopinant, il remonta les marches pour aller s'enfermer dans son bureau.

Quand les trois guides arrivèrent sur les lieux de l'éboulement, on accourait de partout. A cette heure de la matinée, beaucoup venaient des champs, quelques-uns de Samoëns, d'autres des hameaux avoisinants, des Allamands, du Chevreret, des Fontaines et des Moulins. Quelques dizaines de personnes étaient attroupées, poings sur les hanches pour les hommes, mains jointes sur la poitrine ou sous le tablier pour les femmes. Les lèvres murmuraient, les âmes psalmodiaient.

Armand était devant sa ferme à arpenter sa ligne de défense, encore tout noué d'effroi. Sa voix en frémissait :

— Il a tenu, tu te rends compte, dit-il en montrant à Anselme le rempart de pierre devant sa ferme.

Dans son champ, des rochers par centaines, des cailloux hauts comme des meules de foin, charriés par le flot de caillasse, cabossés, abîmés, éclatés, s'étaient répandus partout. Les plus ronds avaient fini leur course contre le muret d'Armand. Certains s'étaient égaillés sous les futaies d'aulnes et de noisetiers, ouvrant d'immenses saignées. Partout des branches broyées et des troncs déchiquetés. Et, recouvrant tout, la même poussière de début du monde.

Arrivé dans les premiers, le père d'Adelin eut vite fait de dresser un bilan : le champ était impraticable pour des années, la ferme sauvée, le mazot en partie détruit. Il observa le flanc de la montagne, labouré de longues traînées, s'arrêta sur les roches à vif. Une blessure qui lui en rappelait une autre.

— Ça n'a pas l'air d'aller ? s'inquiéta Armand en le voyant ainsi, le regard déboussolé et les yeux à la renverse.

— C'est d'avoir couru.

Armand l'empoigna par les épaules à la manière d'un mannequin qu'on veut remettre sur son trépied.

— T'es blanc comme une merde de laitier.

— Le souffle, bredouilla le père d'Adelin, j'ai le souffle coupé.

— Penses-tu, c'est l'air qu'est plein de poussière.

Sans attendre, Armand glissa la main dans sa poche de veste et en sortit une topette de gnôle dont il arracha le bouchon avec les dents.

— Bois seulement, ça repousse la peur.

Le père d'Adelin avala une première gorgée, la tête rejetée en arrière. Après deux ou trois déglutitions difficiles, il s'éclaircit la voix avant de dire, toujours aussi blême :

— Et Adelin qu'est pas là, c'est bien not' veine.

— Déjà parti ?

— Non, il est allé faire un tour par là-haut.

— Le jour de son départ ?

— Oui, et seul, en plus d'ça.

Armand tendit de nouveau sa topette en l'accompagnant d'un mouvement de bras, manière de proposer une autre rasade. La réponse ne vint pas, d'autres mots la remplacèrent :

— Y devait pas être loin de l'éboulement quand tout a dévalé.

— Qu'est-ce tu me chantes là ? demanda Armand, d'un ton faussement détaché, le front soucieux d'un seul coup et le regard bas.

— Comme j'te le dis.

— Où qu'il allait donc ?

— Aux Avoudrues. Peut-être vers Pointe Rousse.

Durant quelques instants, les deux hommes s'évitèrent du regard. Les yeux au sol, le père d'Adelin cherchait à se rassurer. Du bout de son brodequin, il tassait la terre en dessinant de petits arcs de cercle. Il savait son inquiétude excessive, mais sentait pourtant au fond de lui remuer une eau saumâtre dont il ne pouvait maîtriser les remous.

Après de longues secondes, Armand rompit le silence, à sa manière, brutale et fraternelle :

— Depuis la guerre, t'as plus de nerfs, Léon. Dans un sens, j'te comprends, t'as qu'un fils. Mais c'est parti bien plus à droite que le pas de Folly.

Le père d'Adelin le dévisageait sans le voir.

— Rends-toi compte, poursuivit Armand, le bras tendu vers la montagne à la manière d'un maître devant une carte, y a un sacré bout entre le passage et l'éboulement.

Avec infiniment de détresse dans le regard, le père d'Adelin se rendit aux arguments d'Armand. Sur son visage, se lisait le combat mené entre le désir d'en dire plus et la nécessaire retenue qu'imposait la dignité. A bout de forces, il laissa couler dans un soupir :

— Et s'il lui était venu l'idée d'aller voir de plus près ce foutu éboulement ?

De retour à la ferme, le père d'Adelin entreprit de se laver au bachal comme chaque soir. Chemise ouverte et manches relevées, il s'aspergea à grandes brassées en faisant gicler l'eau sur son visage, son torse et ses épaules. Tout au long du chemin, il avait espéré voir se dissiper cette inquiétude qui lui mangeait le ventre et lui desséchait les lèvres. Mais rien n'était venu le rassurer, ni les longues observations de la montagne faites à chaque virage, ni les informations glanées auprès de voisins.

Longtemps, il retarda le moment d'entrer, partagé entre l'envie de savoir et la peur d'être déçu. D'un regard tendu, il chercha dans la courtine des fois que le sac d'Adelin, son piolet, peut-être sa corde y seraient déposés. A l'intérieur, rien non plus n'indiquait le retour. Dans l'âtre, des bûches chuintaient en sourdine, trahissant le bois vert brûlé trop tôt.

Comme sa femme n'était pas là, il se rendit dans son atelier. Parmi ses outils, il se sentait bien. De plus en plus souvent, il lui arrivait de s'y réfugier, prenant le Tout-Puissant à témoin de ses terreurs. Des yeux, il interrogeait le crucifix de plâtre accroché à l'espagnolette de la fenêtre. Jamais il ne suppliait, priait parfois, le front contre la vitre et les mains jointes.

Cette fois, il se contenta de glisser un regard à travers les carreaux poussiéreux. Dans les vapeurs bleutées du soir, le Criou s'endormait. Des ombres venues de la vallée montaient en silence à l'assaut des grands ressauts de roches grises. Une à une, les corniches viraient au mauve puis au violet avant de s'éteindre comme des bougies sous l'étouffoir.

Pêle-mêle lui revenaient en mémoire des courses faites avec son fils. Cet homme qu'il avait fallu ramener, le crâne défoncé par une chute de pierre, encore lucide pourtant. Tout au long du chemin du retour, il raconta sa vie de bourgeois des villes. A mesure que ses forces le lâchaient, ses souvenirs s'égouttaient, un à un, ses enfants, son mariage arrangé, ses placements et ses conquêtes féminines qu'il appelait cocottes. Même couché sur la table du presbytère, la tête ensanglantée et la voix fuyante, il parlait encore, de plus en plus bas, de plus en plus lentement. Ses derniers mots furent pour le prêtre. Des mots de repentir sans doute, car, au dire de l'homme d'Eglise, il mourut en chrétien.

Et cet autre, physicien à ses heures, persuadé qu'Horace Bénédict de Saussure s'était trompé dans ses calculs sur la pression atmosphérique. Au sommet du Buet, où il s'était fait conduire par une dizaine d'hommes, il voulut réaliser ses expériences malgré le vent glacial et le temps menaçant. En veste de peau, nu-tête et sans gants, il installa ses casseroles et ses cornues censées valider ses calculs. A chaque instant, il mouillait la mine de son crayon pour prendre des notes. Après plusieurs heures d'expériences, il en était à mettre ses doigts dans l'eau bouillante sans rien ressentir. Il fallut les lui frictionner à l'esprit-de-vin, les enduire de saindoux et, comme il n'avait pas de gants, lui tailler deux gros quignons de pain pour qu'il pût y enfouir ses mains.

A présent, l'atelier s'était empli de nuit. A l'œil, le père devinait encore ses outils, son établi, les râteaux à foin en attente de nouvelles dents, et les deux lugeons entassés dans le coin le plus large. Dehors, la nuit était bleue. La fenêtre en découpait quatre petits carrés réunis par une croix de bois.

Le dos voûté, les épaules lourdes, il remonta les quelques mètres le séparant de sa ferme. Tout de suite, il vit, encadrant la porte, le filet de lumière signalant une présence.

La main sur la poignée de la porte, il fit du regard le tour de la pièce, volant de la table au banc-coffre, de la cheminée à l'évier de bois. Là où Adelin avait l'habitude de poser son sac, il s'arrêta. Il interrogeait de tous ses sens ce lieu qui les avait si longtemps réunis, exigeait qu'il lui livrât un indice, peut-être une certitude. D'une voix épaisse, presque rauque, il demanda :

— Toujours pas rentré ?

La mère fit non de la tête, sachant ses mots impuissants à franchir la muraille de ses lèvres. Il y avait déjà assez de cet entrelacs de sentiments qui l'assaillait depuis l'après-midi. Elle ne s'y retrouvait plus entre l'envie de savoir, la peur d'apprendre, la tentation d'imaginer, le refus de se résigner. Bien qu'elle s'employât à cacher son inquiétude, son corps la trahissait, plus lourd d'heure en heure, voûté et sans âge.

Comme souvent, elle remua ses ronds de feu, essayant de se rassurer au contact de ces bruits familiers. Depuis l'éboulement, rien ne trouvait grâce à ses yeux, ni le chat qu'elle envoya bouler d'un revers de main, ni sa soupe qu'elle laissait bouillir à gros clapots dans le chaudron de la cheminée.

Pour rompre le silence, le père suggéra :

— Il est peut-être passé par Bostan, c'est plus long, voilà tout.

Pour toute réponse, un haussement d'épaules.

— Ou par les chalets du Criou sur l'autre versant. Le temps de redescendre, ça risque de rajouter une paire d'heures, pas vrai ?

Il parlait pour se donner confiance, listait de tête tous les pièges à éviter, parcourait de mémoire les passages difficiles. Les yeux fermés, il aurait pu dire où placer ses pieds, poser ses doigts, à quel moment se hisser des bras, à quel autre pousser sur les jambes. Il rumina encore un temps ses idées et, à bout de nerfs, explosa :

— Misère de misère, y a que sur nous que ça tombe, ces affaires-là... comme si on souffrait pas assez. Et le jour de son départ, en plus.

La gorge nouée, il s'efforça de rassembler ce qui lui restait de mots. En les prononçant, il sentit s'ouvrir la bonde depuis si longtemps fermée. Ces mots-là n'étaient plus les mêmes, faits de révolte et de combat, ils aidaient à relever la tête :

— Bon Dieu, je te le dis, si jamais il s'est blessé dans l'éboulement, il retournera pas au front. Parole, y pourront toujours venir le chercher, il n'y retournera pas.

Surpris de s'être livré ainsi, il se laissa aller sur le banc, lourdement, et regarda autour de lui, un bras sur la table, l'autre en appui sur le genou. Sa femme n'avait pas bougé. Tout était comme avant. Sauf en lui, où brusquement la peur venait de refluer. C'était comme une neige de printemps tombant sur un sol tiède, sa peur fondait en lui. S'évaporait. Il la sentait toujours là, mais de plus en plus lointaine, presque supportable au regard de ce qu'il avait enduré. Depuis des mois qu'elle l'assaillait, depuis des nuits qu'elle l'infectait comme un chancre, une purulence, il avait fini par se faire à sa présence. Et d'un coup, c'était le vide.

Plusieurs fois, il se passa la main sur la nuque, manière pour lui de mettre de l'ordre dans ses pensées. Son regard était redevenu clair. Son raisonnement aussi. Quand son fils était là-bas au front, il lui était impossible de le secourir et de le protéger, de là venait tout son mal. Mais ici, chez lui, dans ces montagnes qui l'avaient vu naître, l'adversité n'était plus la même. La montagne, il savait la combattre, la vaincre à mains nues si nécessaire. D'un coup, il se sentit cuirassé, de taille à affronter le pire :

— J'vais aller le chercher, dit-il en appuyant chacun de ses mots, et le ramener ici, chez nous. Après, y sera toujours temps d'aviser.

En roulant des reins, il se dirigea vers le banc-coffre, où il tenait ses affaires de montagne, veste, sac et pantalon de grosse toile. Comme toujours les charnières grincèrent, mélange de bruits de fer et de plaintes de vieux bois.

— T'y penses pas, en pleine nuit… essaya de dire sa femme.

— J'vais prendre un fanal.

— Avec toutes ces pierres, t'y verras rien.

— J'y vois avec les pieds, tu le sais bien.

La mère se fit implorante, les mains dans les plis de son tablier, s'essuyant les paumes, les doigts, le dessus, elle ne savait plus très bien. Des familles sans hommes, elle en connaissait, partis en montagne et jamais revenus ou bien ramenés, raides et sales, sur un dos de mule ou sur une planche de bois. Elle savait aussi qu'aucun mot ne dissuaderait son mari de partir. Alors avec une petite voix fêlée, elle s'approcha de lui, le dévisagea et posa sa main sur son bras pour demander :

— Va pas seul au moins, passe voir Armand ou Anselme. Y aura bien quelqu'un pour t'accompagner.

10

Couché au sol, Adelin écouta un long moment, le corps à demi enfoui sous les pierres. Il s'attendait à entendre des plaintes autour de lui, des râles, des appels. Peut-être le clapotement des godillots pataugeant dans la boue, les mots des infirmiers prononcés en sourdine qui questionnaient, rassuraient, réconfortaient. Avec la nuit, les brancardiers allaient venir et le conduiraient au poste de secours. Vers l'arrière, une nouvelle fois.

Adelin se passa la main sur le flanc puis descendit vers la cuisse. Plus loin, il n'osa pas, de peur d'éveiller l'attention autour de lui. Ce côté-là de son corps n'était ni boueux, ni poisseux. L'intérieur de son pantalon ne paraissait ni souillé, ni collant. Il tendit l'oreille, essaya de se souvenir comment s'était déroulé l'assaut, à quel moment il avait escaladé la tranchée, enjambé le talus formé de sacs de terre, passé les barbelés. L'air n'avait pas le goût âcre de la poudre, ni celui piquant de la fumée. Il n'y avait pas non plus ces longues traînées grises, pareilles à du brouillard, qui d'ordinaire rampaient longtemps après l'assaut.

Avec une infinie prudence, il remua la main, puis tourna la tête pour voir le ciel par-dessus son épaule. L'endroit où il se trouvait était en pente, avec autour de lui des monceaux de terre comme il ne se souvenait pas d'en avoir déjà vu. Il pensa à une sape sur laquelle il avait dû sauter, peut-être une marmite, quelque chose d'énorme en tout cas.

Au-dessus de lui, le ciel finissait de vivre. Le jour s'enfuyait, déroulant une grosse toile épaisse frangée de rose et de mauve. L'ouest était devant lui, l'ennemi dans son dos, donc. Il tenta de prendre appui sur un coude pour se repérer, situer la distance qui le séparait des lignes adverses, peut-être trouver le moyen de se replier vers d'autres trous individuels. Le contact froid de la roche l'intrigua. Ses doigts restèrent crispés sur la pierre où ils avaient pris appui.

Le souffle court, il laissa passer la vague de douleur qui lui irradiait le dos. Puis il s'appliqua à respirer à petites goulées, à maîtriser le bouillonnement de sang qu'il sentait cogner dans sa poitrine. Brusquement, tout s'immobilisa. Plus forte que la douleur, une odeur venait de l'agripper. Une odeur de résine et d'écorce fraîche. Ici au front, il ne l'avait jamais sentie, même dans les cagnas, la nuit, le nez contre les rondins de sapin quand il fallait dormir d'un sommeil de bête. Les yeux au ras du sol, il regarda. Sa joue reposait tout près d'un éclat de bois. Il le ramena à lui, détacha un morceau d'écorce et le frotta entre le pouce et l'index comme le faisaient les hommes de chez lui pour juger d'une récolte.

— De l'épicéa, murmura-t-il, un peu étonné, pas encore inquiet.

Avec l'ongle, il gratta les fibres, les renifla pour mieux sentir. A l'odeur de résine se mêlait celle du bois fraîchement coupé, ce mélange humide et suave venu de l'aubier. Il s'en imprégna, mâcha l'odeur longuement. Sa lèvre se plissa, une fois, une autre et, d'un coup, les mots jaillirent :

— Bon sang... l'éboulement...

La mémoire lui revint d'un bloc. Le vol des milans, la vire où il s'était engagé, le rocher vacillant, son piolet empêtré dans la corde et le bruit, cet abominable vacarme, tout resurgit en un instant.

Adelin demeura bouche bée, à regarder autour de lui. Dans la pente, on devinait un chaos de roches hérissées de pointes noires et déchiquetées. Et au-dessus de lui, au bout de cet interminable couloir, le Criou et ses éperons rocheux taillés en forme de silex. On le devinait à peine, mais on le savait là, gigantesque avec ses centaines de mètres de paroi abrupte.

— Foi de Dieu, réussit-il à articuler, me v'là beau.

De nouveau, il tenta de s'extirper des roches qui lui emprisonnaient le bas du corps. Saisissant sa cuisse à deux mains, il tira de toutes ses forces comme pour sortir un rondin de sous un tas de bois. La douleur n'était rien comparée à la rage qui l'habitait. Il s'y reprit à plusieurs fois, s'aidant du pied et du talon.

Ses efforts furent vains, ses douleurs inutiles. Coincée à hauteur du genou, l'une de ses jambes ne bougeait plus, retenue par l'amas de rochers.

La nuit gagnait d'instant en instant. A sa vue, il prit

conscience de sa situation. Il considéra cela avec un mélange de calme et de révolte. Bloqué en pleine paroi, là où personne ne viendrait le chercher, blessé, à demi enseveli par des rochers plus lourds que lui. Plus grave encore, l'heure de son départ était passée depuis longtemps, le train parti, la gare peut-être déjà fermée. A coup sûr cela lui vaudrait de la prison, dans un réduit sans air ni lumière, privé de viande et de vin. Peut-être plus, peut-être pire.

Il se souvint alors d'un vieux territorial, père de trois enfants, expliquant avec ses mains les raisons de son retard. Plus il s'enferrait dans ses mots, plus ses bras s'activaient. On l'eût dit en train de pétrir la pâte de son malheur, à grosses brassées collantes. Ce qu'il faisait d'efforts lui coûtait, ça se lisait à ses yeux fatigués. A bout de gestes, il se laissa aller sur un seau retourné, servant de tabouret.

Quand il s'assit, sa nuque fléchie et ses mains inertes trahirent son désarroi. Il se laissa conduire au poulailler servant de prison. Cinq jours plus tard, on le traîna derrière le corps de ferme où cantonnaient les hommes, les yeux bandés et les poignets dans le dos pour expier une tentative de désertion[1] qu'il n'avait pas commise.

Adelin ne put retenir un sanglot d'impuissance.

---

1. Le langage courant assimilait à une désertion tout retard ou absence après une permission ou une convalescence. En fait, le commandement distinguait la désertion, qui était un refus d'aller à l'ennemi, d'une insoumission, simple retard ou prolongement non autorisé d'une permission.

Blessé, il l'était. Il pourrait le prouver, montrer son pied, sa jambe, son dos où battait la douleur. La plaie s'était sans doute rouverte, rabotée par les rochers. Une nouvelle fois, il tenta de s'extirper de son trou. Comme souvent dans l'adversité, il était déterminé, volontaire, résolu à tout pour s'en sortir.

Après avoir dégagé à l'aveuglette ce qu'il pouvait de pierres, il finit par retrouver son sac coincé contre son dos, couvert de gravats et de poussière. Sa corde aussi était là. Un long morceau pendait dans la pente. Avec précaution, il la ramena à lui, hésitant à trop tirer, de peur de faire partir de nouvelles pierres. Un anneau puis un second vinrent s'enrouler dans sa main. A mesure qu'il inventoriait ses quelques objets, l'espoir renaissait. Avec la corde, il pourrait tenter de dégager les roches qui lui emmuraient la jambe.

· Son sac fut posé sur l'un des côtés du trou, sa corde dessus. De l'autre, il entreprit de faire le vide. Patiemment, il déplaça les pierres, les poussant ou les rejetant loin de lui.

La nuit était d'un noir transparent. Là-bas, vers le couchant, le jour s'éteignait, étouffé par le poids du ciel. Dans moins d'une heure, il ferait nuit. Il n'y aurait plus ni creux ni relief, seulement leur souvenir permettant d'en redessiner les formes de mémoire. En bas, sur ce long replat de terre à peine visible, il imagina la ferme de ses parents où la peur devait sourdre de chaque pierre.

Son père assis sur son banc, un coude sur la table, l'autre sur le genou. A part quelques soupirs de temps à autre pour chasser la peur, et des jurons d'homme rebelle, le silence devait être total.

Comme toujours, sa mère devait ravaler ses larmes, se contentant de prier en silence, l'œil sur sa soupe. Avec cette infinie bonté cachée en elle, elle devait promettre à Dieu et à Marie, s'offrant en sacrifice, acceptant de bonne grâce la maladie ou la mort, pour peu qu'on veuille bien lui rendre son fils.

Adelin avait beau chercher autour de lui, son piolet était introuvable. Ni le long de son corps, ni dans son dos il ne reconnut le bois lisse du manche, pas plus que le froid de la panne. Depuis plusieurs minutes pourtant, un plan s'échafaudait dans son esprit. Le piolet enfoncé dans une excavation pourrait servir de point d'ancrage. Une fois la corde passée autour et attachée à l'un des rochers, il ne lui resterait qu'à tirer. Aussi fort que ses bras le lui permettraient. Il pensa alors aux mains de son père, grosses comme des tapes à fumier, à ses doigts carrés capables de redresser un clou mieux qu'un étau.

Tout en réfléchissant à la manière de s'y prendre, il crut repérer un morceau de bois sur sa droite. L'un de ces restes de troncs rabougris, durcis par le gel et la pluie. Il lui manquait la longueur d'un bras pour l'atteindre.

Il s'allongea sur le flanc pour tenter de gagner quelques centimètres. Dans sa main, le nœud coulant, pas plus ouvert qu'un col de chemise. Après plusieurs hésitations, il lança sa corde à l'estime. Habilement, son poignet s'arrondit au dernier instant, histoire d'élargir la trajectoire et d'augmenter ses chances d'accrocher la pique. L'ombre l'empêcha de voir où était tombée sa corde. Il tira doucement, puis s'enhardit à donner un coup sec. Le nœud tenait.

Alors seulement, il s'autorisa à espérer. Le visage contre la roche, il laissa monter en lui la fraîcheur du sol et son étrange odeur de pierre à briquet. Sur ses joues, le feu s'était éteint. Son corps s'apaisait, trouvant dans cette position une sorte de repos précaire. Adelin ne sentait pas encore le fourmillement monter dans ses jambes, ni le froid le gagner par les entrailles. Il prenait pour quiétude ce qui n'était qu'un lent engourdissement des sens. Ses bras reposaient sur le bord du trou, à la manière d'un guetteur embusqué. A la manière d'un homme en sursis.

11

Jamais le père d'Adelin ne mit aussi peu de temps pour rejoindre la vallée. Jamais non plus la distance ne lui parut si longue. Sur le chemin, il exigea de son corps qu'il retrouvât sa vigueur passée. Muscles et tendons en ordre de marche, il avançait au mépris de ce qu'il lui en coûterait de douleurs les jours prochains.

A travers bois, il passa en force, fendant les ronces et les fougères à longues enjambées, ignorant les griffures et les branches qui lui cinglaient le visage. Dans sa tête, le même tournis depuis le départ, une danse où les minutes s'égrenaient et, avec elles, ce sentiment diffus de ne pas aller assez vite, de ne pas exiger assez de ses jambes.

Parvenu aux abords du champ jonché de rochers et de pierres, il trouva plus prudent de passer au large. Avec pour repère la petite lumière vacillante de la courtine, il se dirigea vers la ferme, enjamba un échalier fermant une pâture puis parcourut au pas de course les derniers mètres. Sous ses pieds, les pavés en rondins de bois ; devant lui, la porte à triple panneau ; sous ses doigts, le heurtoir de fonte.

— Armand, cria-t-il, la voix cassée par l'émotion, faut venir.

Assis à sa table devant des restes de repas, le vieil homme demeura immobile. Seuls ses yeux se levèrent, encore bleus, mais déjà parcourus de fines lézardes pareilles à celles des vieilles vaisselles. La lumière de la petite lampe à huile, appelée crezou, venait de biais, n'éclairant ni l'entrée, ni celui qui se tenait là, hésitant à avancer.

La main en visière, il questionna :

— Qui c'est donc ?

La réponse tarda. En s'approchant, le père d'Adelin passa dans le halo de lumière. Son visage était gris. Il vint s'appuyer des deux mains sur le rebord de la table. Son front luisait d'une sueur épaisse. Cherchant ses mots, il bredouilla :

— Adelin n'est toujours pas rentré...

Le regard d'Armand vacilla avant d'aller se réfugier sous l'épaisseur de ses sourcils. En hâte, il débita quelques mots pour rassurer, s'efforçant de garder les yeux bas :

— Fallait s'y attendre, avec tout ce chambard. T'imagines comment ça doit être là-haut.

— C'est pas le chambard qui m'inquiète.

— Plus de chemin, plus de passage, plus rien pour se repérer. Du coup, qu'est-ce qu'il a fait, ton Adelin ? Comme on aurait fait nous, il est passé par Bostan, voilà tout.

Le père d'Adelin s'approcha :

— Tu le sais comme moi, dit-il d'une voix étranglée par l'émotion, même par Bostan, faut pas tout c'temps.

Et puis Adelin se serait pas laissé prendre par la nuit, surtout le jour de son départ.

Il fit un bruit de gorge en tentant de déglutir avant d'ajouter :

— Sûr qu'il s'est fait coincer què'que part. Peut-être même emporter. J'te l'ai dit ce matin, il est passé dans le mauvais coin au moment où fallait pas.

— Tu t'époulailles, Léon, raisonne-toi un peu, bon sang.

Léon Jorrioz était immobile.

— C'est vrai, t'es toujours à t'imaginer le pire, poursuivit Armand sur un ton de maître d'école.

— Y a pas à imaginer. Près de huit heures de retard, ça ne te suffit pas ?

— Faut reconnaître…

Le père d'Adelin réfléchit un instant comme pour élaguer ses mots de leurs piquants et poursuivit :

— Ne prends pas ce que je vais te dire en mauvaise part, mais ça s'est jamais vu de sauver des hommes avec des mots.

— Et tu veux faire quoi, toi ?

— Aller le chercher.

— A c't'heure, avec nos vieilles jambes ?

— Oui.

— Mais on y verra même pas comme des borgnes.

A cet instant, Armand eut l'intuition que ses arguments n'auraient pas plus d'effet que de la neige sur le feu. L'homme en face de lui était un bloc de peur, au regard fixe et à la volonté farouche, presque animale, d'aller à la recherche de son fils. Le raisonner ou le convaincre était peine perdue.

Il se leva lentement de son banc, le pantalon tout froissé, tout ébriqué comme on disait ici. Sur ses hanches pendaient ses bretelles, mi-lanières, mi-ficelles, et autour de son ventre son éternelle flanelle. Tout cela fut remis en ordre, sans brusquerie, comme s'il eût été naturel de se préparer à cette heure du soir à partir en montagne. Pendant que, d'une main, il enfouissait ses queues de chemise dans son pantalon, de l'autre il remit ses bretelles en place. Pour la ceinture, il s'y prit à deux fois, sa hanche raide le contrariant dans ses mouvements.

Puis, avec beaucoup de retenue dans la voix, il s'approcha.

— On va te le ramener, ton gamin, dit-il. Même à notre âge, même avec ce qu'on a subi de la vie, on est encore capables de passer une nuit en montagne.

Comme le père d'Adelin ne répondait pas, Armand lui flanqua une bourrade sur l'épaule, voulant lui signifier qu'il était là, que l'on pouvait compter sur lui. Avec ce geste, resurgirent les nuits passées à l'affût des chamois, encoignés dans un creux de rocher, ou assis sur la fourche d'un sapin. Revinrent aussi ces sauvetages menés en compagnie des guides de Samoëns ou de Sixt quand il fallait faire vite, quand la vie des autres en dépendait.

Une fois ses bas de chemise remis en place, il enfila sa veste et, brusquement, s'arrêta. A l'aide d'une sorte de boutefeu laissé à portée de main, il tapa trois, quatre coups dans une petite porte placée dans son dos. Cela ressemblait à la fois à une entrée de placard et à la façade d'un lit clos.

— Tu vas pas réveiller Euphrasie, quand même ?

— Elle dort pas, elle écoute.

— Que tu dis.

— On va avoir besoin d'aide, Léon. Chercher là-haut tout seuls, on n'y arrivera jamais. Ça doit ressembler à un nid de merde, avec des pièges partout.

— C'est pas une raison pour la réveiller.

— Faut du monde avec nous, sans quoi c'est pas la nuit qu'on va y passer.

— Et tu vas en trouver où, du monde ?

— On va filer prévenir Anselme, Constant et Philippin. Ils sont du métier, eux, capables d'organiser des secours mieux que nous. Souviens-toi de leurs sauvetages l'an passé et de ceux qu'ils ont ramenés, ficelés comme des jésus, depuis la cabane du Grenairon.

— Tu te rends compte du temps que ça va prendre ?

— Rappelle-toi : « Quand tout le monde s'aide, personne ne se crève. »

Euphrasie maugréait tout le temps, c'était sa façon d'être. Une petite vieille maigre, couperosée aux joues, avec des paupières fripées comme des pruneaux. Cela donnait encore plus de vie à ses yeux, qu'elle avait presque blancs par temps de soleil. Elle se disait sourde pour avoir la paix, ce qui lui permettait de n'en faire qu'à sa tête, rouspétant sans cesse après Armand, comptant son vin et son tabac, houspillant les chats, se plaignant sans cesse de tout. C'était sa manière à elle d'être tendre.

— Je suis bonne à quoi, moi, seulement à faire la soupe ? lança-t-elle en sortant de son galetas.

Pris de court, Armand fit front.

139

— La soupe ? Elle chauffe.

— Gros ballot, y en a même pas assez pour toi demain...

Elle se dirigea vers la cheminée en traînant les pieds, tira à elle la potence et secoua le chaudron à deux mains pour en estimer le contenu. Une odeur de bouillie de légumes s'éleva dans la pièce.

— Tu vois, dit-elle, la tête penchée, même pas de quoi remplir une assiette.

Puis elle s'adressa aux deux hommes :

— C'est pas le moment de gnognoler, vous deux, allez-y tout de suite et, quand vous remonterez, la soupe sera déjà bien avancée.

Elle se tourna vers le père d'Adelin, qui la dévisageait :

— Et cesse donc de brasser le noir, toi. On est là pour t'aider. Et si la force nous manque, on a encore le cœur pour remplacer.

Les deux hommes se séparèrent à hauteur du Chevreret. Le père d'Adelin se chargea d'aller prévenir Anselme Duffoz, l'ancien guide-chef, avant de passer chez Philippin à la Catiaude. A cette heure du soir, Anselme était dehors à prendre le frais, assis dans son immense fauteuil de bois. Deux ans lui avaient été nécessaires pour le façonner d'une seule pièce à l'herminette, exactement à sa taille. Souvent, il appelait celui qui passait sur la route, se carrait sur son siège et lui tendait un gros crayon rouge de charpentier.

— Marque-moi où je touche, ordonnait-il sans bouger d'un poil.

Et il montrait comment devait être son dos, droit depuis les reins jusqu'à la nuque. Où devaient reposer ses bras, ni trop haut, ni trop bas. Pour laisser au sang le temps de circuler, précisait-il à ceux qui s'étonnaient de tant d'exigences. Pareil pour ses pieds, le bon emplacement se trouvait, selon lui, à une vingtaine de centimètres en avant du socle. Quand son trône d'homme simple fut achevé, il fit venir tous ceux qui l'avaient aidé, promettant à chacun de lui rendre la pareille si un jour l'occasion se présentait.

En voyant le père d'Adelin approcher à longs pas pesants, il resta immobile, les bras posés sur le rond des accoudoirs :

— Oh là, Jorrioz, qu'est-ce qui t'amène ?

La réponse était sans importance, il la lisait déjà sur le visage du père lorsqu'il souleva la clenche du portillon.

— Adieu, Léon, poursuivit Anselme sans le lâcher des yeux. Qu'est-ce qu'il y a, t'as pas l'air de filer bon fil ?

— Y a qu'Adelin n'est pas rentré.

— Rentré d'où ?

— Des Avoudrues. Il est monté tôt ce matin, y devait être de retour dans le tantôt.

— Il est seul ?

— Oui... c'est bien ce qui m'tracasse.

Il réfléchit, hésita et fit un effort pour demander avec gravité :

— On a besoin d'aide, Anselme. Avec Armand, on a décidé de monter dès ce soir, mais ça va être long à deux.

Le guide-chef resta assis, le corps calé contre le dossier de son fauteuil. On le disait bien corporé, selon l'expression des gens d'ici, vaillant pour les travaux des champs et infatigable pour le débardage ou l'abattage. Sa grande carcasse faisait autorité, bien qu'elle lui coûtât quelques passages douloureux entre les mains du rebouteux Poirel. Ses yeux ronds comme des perles de chapelet étaient immobiles. Puis à mesure que dans sa tête s'enchaînaient les idées, on vit son corps se redresser, ses mains prendre appui sur les accoudoirs puis donner une impulsion en même temps qu'il ordonnait :

— Tu vas aller prévenir Philippin. Vérifie d'abord où il en est avec la chopine. S'il est fin saoul, laisse tomber, on se passera de lui. Sinon, ajouta-t-il, ramène-le. Le Criou, il le connaît mieux que personne.

De tête, il fit rapidement le tour des hommes susceptibles de se joindre à eux. Ses doigts se dépliaient à mesure qu'il comptait.

— Vois aussi son cousin et dis-lui d'apporter du matériel. Des cordes et des piolets. M'est avis qu'on va en avoir besoin.

Debout, Anselme dépassait de deux têtes le père d'Adelin. Son corps, plat et large, avait des attaches solides. Sa tête n'était pas en proportion, trop petite et pourvue d'un front fuyant, donnant à l'ensemble une impression de dégarni. Il prit un petit chapeau à bord relevé orné d'une plume de geai, s'en coiffa et annonça :

— La semaine, j'travaille comme une mule, le dimanche comme un baudet, mais la nuit, j'ai encore de quoi donner, crois-moi, surtout à ceux qu'en ont besoin.

Il chercha le regard du père d'Adelin et l'empoigna avec autant de force que s'il se fût agi de tordre un linge. Une fois ses mots assemblés, il lâcha d'un trait :

— Léon, on sait tous ce que tu endures avec ton fils au front. Mais là-bas, on ne peut rien faire pour t'aider. Ici on peut tout, c'est chez nous.

Il fut convenu de se retrouver au café de Lucienne. A son évocation, Léon Jorrioz se mordit la lèvre. La trogne du rougeaud ne pouvait se détacher de sa mémoire, avec ses yeux poisseux et son regard de fourbe.

Il ouvrit la porte de l'épaule. A l'intérieur, ça sentait l'air rance et l'eau de Javel. Occupé à faire l'inventaire du matériel entassé au pied du comptoir, Anselme leva les yeux :

— Ah te v'là... et Philippin, qu'est-ce qu'il dit ?

— Il dort.

— A c't'heure ? Tant pis, on fera sans lui.

Tout en parlant, il comptait les cordes qu'il posait au fur et à mesure sur le haut des sacs. Trois hommes étaient déjà là, assis autour d'une table, sans verre ni tasse. Leur regard grave en disait long sur ce qu'ils pressentaient. Ils parlaient par signes, lançant de temps à autre un coup de menton pour demander, un autre pour approuver. On se serait cru dans la chambre d'un malade quand le médecin hésite sur le mal et s'interroge sur son issue.

— C'est pour porter que ça va être dur, fit Anselme en se redressant, les mains sur les reins. Les carrioles, c'est même pas la peine d'y penser, va falloir se rabattre sur les mulets.

Ses yeux revenaient sans cesse au matériel, allaient des sacs aux cordes, comptaient les piolets posés à plat sur le carrelage, les lanternes et les bidons. Après un temps de réflexion qui lui barra le front d'un pli profond, il laissa partir :

— Avec le peu qu'on a de lanternes, on risque pas d'y voir grand-chose.

En parlant, il s'était approché du comptoir. Une construction massive faite de bois cintré comme des douves de tonneau. Dessus, répartis à intervalles réguliers, des balustres ouvragés montaient jusqu'au plafond et servaient à se caler les soirs difficiles, parfois à se freiner d'une chute peu glorieuse.

Les deux mains à plat sur le comptoir, Anselme fit d'abord mine de se pencher puis, impatient, abattit deux grandes claques sonores :

— Lucienne.

Au-dessus, on entendit des pas, des grincements de parquet puis les craquements dans l'escalier. Lucienne ne s'habillait plus qu'en noir depuis plusieurs semaines. Robe, tablier et châle, tous de la même couleur, lui donnaient des airs de repentante.

— Voilà, fit Anselme, gêné de devoir parler devant tout le monde, vaudrait mieux envoyer ton commis prendre l'air pendant qu'on cause.

— T'as des choses à cacher ? répliqua Lucienne d'une voix dure.

— C'est pas la question. Mais faudrait qu'on soit entre nous, tu comprends... entre gens d'ici.

Lucienne était encore belle. De cette beauté étrange qui conserve aux traits leur jeunesse tandis que les rides les assiègent en silence. Ses yeux brillaient, tout en restant distants, comme protégés par le vernis d'une cire épaisse. Parfois, son sourire engageait à la confidence, aux rires et aux éclats de voix, puis s'éteignait d'un coup. Son drame était de ne pas avoir d'enfant, et elle portait comme un fardeau de devoir regarder ceux des autres et leur adresser sourires et cajoleries. D'année en année, ses lèvres s'étaient étirées, sa bouche encadrée de plis qu'on disait d'amertume, rien d'autre pourtant que de l'envie mêlée d'impatience.

Elle remonta l'escalier d'un pas lent et calculé. Ses hanches attiraient les regards en dépit du noir et du drapé ample de l'étoffe. Mis à part quelques raclements de brodequins sur le sol, le silence resta fragile et lourd.

Il ne fallut pas longtemps pour que l'escalier craquât de nouveau. Le rougeaud descendit en se baissant pour passer sous le chambranle de la porte. Toujours sa même trogne épaisse. La tête de celui qu'on dérange dans son sommeil et qui tient à le montrer. Tout de suite, le père d'Adelin remarqua son bras, passé dans un torchon noué autour de son cou. En le croisant, l'autre le vomit du regard, prenant son temps avant de sortir pour faire durer le spectacle. Comme il fallait s'y attendre, il claqua la porte. Les carreaux vibrèrent, le bois résonna, la porte se ferma.

— Voilà, fit Anselme après s'être assuré que le rougeaud s'était éloigné de la devanture du café, y me paraît pas bon que le maire soit informé de tout ça.

Plus un bruit. Chaque regard le dévisageait dans l'attente de la suite.

— C'est rapport à l'armée que je vous dis ça, reprit-il. Comme j'le connais, il va foncer à la gendarmerie. Enquête, interrogatoires et tout le tremblement, c'est ce qui nous pend au nez.

— C'est qu'un éboulement, pourtant.

— Pas pour eux. Adelin aurait dû rejoindre son régiment dès ce soir. Du coup, je sais pas trop ce que dit la loi en pareil cas, si c'est de la force majeure ou de la désertion.

Il s'interrompit, réfléchit à ses mots et poursuivit :

— En tout cas, moi, ce que je propose, c'est de monter sans rien dire, après y sera toujours temps de s'expliquer.

Autour de lui, personne n'avait bronché. Dans les têtes, les mots piétinaient. On se remémorait des titres de journaux, des images d'hommes menottés. Dès les premiers jours de guerre, il y avait eu dans les Alpes du Sud des refus de rejoindre les régiments. D'autres départements avaient emboîté le pas. Il n'était de mois sans que la liste s'allongeât, ce qui valait griefs et remontrances aux autorités locales accusées de laxisme dans la recherche des insoumis. Certains réfractaires trouvaient refuge dans les alpages et survivaient avec l'aide de parents ou d'amis. Depuis plusieurs mois, dans les préfectures, les autorités faisaient placarder des extraits de la loi de 1872 prévoyant de six mois à un an d'emprisonnement pour quiconque se rendait coupable de porter assistance à un insoumis. Dans certains villages, on avait même affiché des listes d'hommes recherchés.

— Qui c'est qu'est contre ? interrogea Anselme comme s'il se fût agi d'un vote au bureau des guides.

— Personne, lança une voix dans le fond de la salle.

— De toute manière, y a longtemps qu'le maire est roulé dans le torchon à c't'heure, ricana un vieil homme, alors je vois pas en quoi ça le regarde.

Il hésita un peu sur ses mots, puis se laissa aller :

— On n'a pas besoin des huiles pour nous dire ce qu'on a à faire. A la préfecture, y sont tout juste bons à biffer des cases, à la mairie c'est guère mieux.

Le vieil homme n'était plus de force depuis longtemps à aller en montagne. Il avait pourtant tenu à être là au côté des autres. Ses cordes, il les avait apportées lui-même, roulées sur l'épaule comme jadis. Plusieurs fois, il refit des nœuds en aveugle sous la table, en tâtonnant de ses doigts aux ongles jaunes et longs : nœuds de chaise, nœuds plats, nœuds de cabestan. Sa mémoire restait intacte, à l'inverse de ses jambes, dont les articulations étaient grippées depuis longtemps par le vin blanc.

Le père d'Adelin aurait aimé remercier, mais il était vide de mots. Il restait là à regarder Anselme agir, décider, prendre les choses en main comme il savait le faire. Ce qui lui importait, à lui, c'était de partir vers la coulée de roche. Se colleter avec la pierre, la pente et tous ses pièges. Adelin était sous les roches, il en était convaincu maintenant.

Un temps, il imagina son fils peut-être rentré en son absence. Il hésita, faillit se lever, demander à aller vérifier. La peur de parler et de laisser paraître ses sentiments fut la plus forte. Finalement, il se résolut à attendre, rongé de l'intérieur, raide comme un piquet à l'extérieur.

Quand Anselme eut donné ses dernières consignes, il saisit son piolet par le manche. En chemise comme souvent, col ouvert et manches roulées au-dessus des coudes. Sur une épaule, il jeta plusieurs rouleaux de corde et sur l'autre passa la bretelle de son sac en ordonnant :

— On se retrouve devant chez Armand, là-bas on fera le point.

Au moment de sortir, Lucienne l'appela, deux bouteilles dans une main, un panier couvert d'un torchon dans l'autre. En dépassait l'os d'un jambon, bruni par la fumée.

En cherchant à éviter le regard du vieux guide, elle bredouilla :

— Prends toujours ça, vous allez en avoir besoin. Et que Dieu vous garde, s'il veut bien encore entendre mes prières.

Dès l'approche du champ d'Armand, l'air changea de texture. De frais et fluide qu'il était dans la vallée, il devint sec et rêche. On peinait à respirer par la bouche et plus encore à déglutir. La poussière y était pour beaucoup, toujours en suspension autour des arbres, dans les futaies et sur les herbes du fossé. Il suffisait de faire un geste, effleurer une branche ou lever un peu trop brusquement une lanterne pour que le bleu de la nuit se voilât immédiatement.

Il fut décidé de chercher un endroit pour déposer vivres et cordes, attacher les mulets, suspendre les lanternes, les recharger en pétrole, allumer un feu si nécessaire. Armand passa chez lui en coup de vent pour voir si sa femme avait des nouvelles, il en revint avec son chaudron de soupe installé sur sa charrette à bras.

Depuis les Allamands, le vieux Sylvan était descendu après avoir attelé sa chèvre à une sorte de luge montée sur roues. Entre les ridelles, il avait entassé tout ce que sa mémoire avait pu trouver d'utile, cordes et sacs, piolets à long manche, crochets, étriers en bois et même une courte échelle dont on n'avait plus l'usage en montagne depuis longtemps.

Il expliqua, la main en demi-lune devant ses chicots :

— Faut se dire qu'en cas de coup dur, ça sert aussi de brancard. Dans le temps, on faisait comme ça, je vois pas pourquoi d'un seul coup on y ferait plus.

Le père d'Adelin s'approcha de lui :

— T'es passé chez moi ?

— Oui...

Parler davantage était inutile. Avec cette économie de mots et de gestes, trait commun aux gens de l'Alpe, cette seule réponse suffisait. Il restait à agir désormais, forcer son corps, pousser ses membres et, malgré la peur de découvrir le pire, monter dans les éboulis et explorer mètre après mètre à la lueur des lanternes à pétrole tenues à bout de bras.

Comme pour descendre dans une mine, les hommes

se rangèrent en file indienne pour remplir les réservoirs des lampes. Durant ce temps, un feu avait été allumé un peu à l'écart, sur lequel fut installé le chaudron de soupe.

Quand les choses lui parurent en ordre, Anselme s'adressa aux hommes en cercle autour de lui :

— On va faire deux groupes, l'un pour aller voir vers Folly, l'autre pour fouiller dans les éboulis. Objection ? demanda-t-il.

Pour briser le silence, il plongea la main dans son sac et en sortit deux cornes de vache.

— Une par chef de groupe.

Deux mains se tendirent.

— Un coup de trompe quand on trouve un objet, deux si c'est plus grave.

Sciemment, il ne prononça pas le prénom d'Adelin, pas plus qu'il ne parla de corps. Il savait les images des drames passés, gravées dans les mémoires. Plus ou moins vives selon qu'on était parent, voisin, ou seulement de connaissance avec celui qu'on ramenait roulé dans une toile. Il connaissait aussi les yeux de ceux qui refusaient de croire, se rebellaient puis s'effondraient, le regard noyé entre les mains.

A plus de soixante-dix ans, Anselme Duffoz n'aurait jamais cru devoir, une dernière fois, prendre la tête d'une cordée de secours. Et moins encore pour Adelin, l'un des meilleurs montagnards de la vallée.

— Question ? demanda-t-il une dernière fois.

Comme personne ne répondit, il prit pour acquiescement ce qui n'était que silence. Deux colonnes se formèrent par affinité, expérience et parenté.

Chaque fois qu'un homme se décidait pour l'un ou l'autre groupe, il passait prendre une lanterne, en réglait la mèche puis s'éloignait à pas lents. Tenue par l'anse de fil de fer, la lampe se mettait en mouvement d'avant en arrière, habitude de faire, remontant à l'époque où celui qui ouvrait la marche devait ainsi signaler aux autres les dangers du chemin.

Le père d'Adelin entassa plusieurs cordes sur le haut de son sac. Sur sa poitrine, deux autres rouleaux furent ajustés en baudriers. Son piolet dans une main, une lanterne dans l'autre, il prit la tête de la petite colonne de huit hommes, le regard bas. Anselme fermait la marche, attentif à tout.

Durant les premières centaines de mètres, pas un mot ne fut échangé. A part le crissement des semelles cloutées sur la caillasse et les pointes de piolets tintant contre les rochers, on aurait pu entendre respirer la nuit.

Les hommes commencèrent par fouiller un peu à l'aveuglette. Dans un tel amas de roches, l'œil ne savait où aller. De temps à autre, l'un d'eux retournait d'un coup de piolet un morceau de bois, un éclat de tronc, une touffe de viorne, toutes choses qui auraient pu être un indice.

Quand tout le bas du champ d'Armand fut ratissé, le guide-chef ordonna de se séparer en trois groupes pour remonter le lit de l'éboulement. Plus il avançait, plus le père d'Adelin était noué. Plusieurs fois, il tressaillit en voyant briller un tranchant de pierre ou une esquille de bois.

Au bout d'une heure, Anselme donna l'ordre de

faire une pause. Peu de distance avait été parcourue. Quelques centaines de mètres tout au plus. Adossés contre les rochers, les hommes firent circuler la gnôle. Certains burent une ou deux rasades, d'autres refusèrent d'un geste de la tête. Quand circula la blague à tabac, peu se servirent.

Durant deux heures encore, les hommes fouillèrent les éboulis. Les pieds avaient du mal à tenir dans une pente de plus en plus raide. Par prudence, Anselme demanda de s'encorder, sachant ce qu'il en coûtait pourtant de fatigue supplémentaire.

Le père d'Adelin ne faiblissait pas. En tête de son groupe, il cherchait partout. Pour plus de facilité, il avait accroché sa lanterne à la panne de son piolet et la tenait à bout de bras pour explorer tous les recoins.

Plusieurs hommes avaient déjà demandé à s'arrêter. Assis par terre ou sur des rochers, ils espéraient un regain de force. Les yeux brillants et le corps défait, ils semblaient dépités plus que résignés. Deux d'entre eux avaient renoncé, n'ayant plus la force d'enjamber, ni de contourner les obstacles. Sur les conseils d'Anselme, ils réunirent ce qu'il leur restait de force pour entasser du matériel, quand retentit un coup de corne.

Tous les hommes restèrent figés. En une enjambée, Anselme grimpa sur un dos de rocher.

— Eclaire, bon Dieu, exigea-t-il de l'homme près de lui.

Il tira du cou tant qu'il le put, pour voir d'où venait l'appel.

— Lève plus haut, j'y vois rien.

La lanterne fit un bond.

— Trois hommes avec moi, ordonna-t-il aussitôt.

Tout en parlant, il avalait la corde à toute vitesse. Son poitrail s'élargissait à chaque mouvement, faisant bâiller les boutonnières de sa chemise. En levant les yeux, il découvrit, dans la lueur de la lanterne, le visage bouleversé du père d'Adelin.

Sans prononcer un mot, Anselme se dirigea dans la direction supposée. Léon Jorrioz lui emboîta le pas, accompagné de deux hommes. Celui qui fermait la marche se saisit au passage d'une couverture, vite enfouie dans son sac pour la soustraire au regard des autres.

La pente s'enfonçait dans la nuit. Anselme avança au juger :

— Qui c'est qu'a appelé ?

Un petit vieux se releva. Ses deux gros yeux renvoyaient la lumière comme des verres de loupe.

— On a trouvé ça, dit-il en tendant un piolet.

— Où donc ?

— Là, fit-il en montrant du doigt.

Le père d'Adelin le saisit par le manche et le fit tourner dans sa main, inspecta la pique, chercha à repérer quelque chose à hauteur des attaches.

— C'est le sien, dit-il, y a ses initiales sur le bois.

Un froid de lune morte tomba sur les hommes. Chacun à sa manière faisait silence, retenant sa respiration, évitant de racler le sol d'un coup de semelle malheureux. Les plus émus serraient à s'en rompre les doigts le manche de leur piolet. Contre toute attente, les premières paroles vinrent du père d'Adelin :

— C'est au moins la preuve qu'il est passé par là...

En parlant, il commença à dégager des cailloux du pied. Ce qui aurait dû le briser le rassérénait. Lui-même en était surpris, s'attendant à tout instant à ce que sa voix se brisât.

— On va allumer un feu ici. Y faut aussi des réserves de pétrole, exigea-t-il en délimitant de la main l'endroit où il fallait dresser un second camp.

Le voyant faire, l'un des hommes observa :

— Un feu ici, ça va servir à rien...

— C'est pas pour se chauffer, c'est pour qu'Adelin voie les flammes et puisse appeler si des fois...

La remarque cloua les hommes au sol. Le silence se fit encore plus lourd. Les nuques résistèrent un instant puis ployèrent. Personne n'osa répondre.

Anselme observait. Le père d'Adelin s'approcha de lui, les mâchoires soudées, le cou raidi au point de faire saillir les jugulaires sous un fouillis de tendons.

— Adelin est là-dessous, fit-il en montrant de son piolet l'amoncellement de roches.

Pris de court, Anselme se voulut rassurant :

— Tu sais, le piolet, ça prouve rien.

— Y a pas de mots pour te dire, Anselme, je sens qu'il est là-dessous, c'est tout.

Dans la lumière vacillante des lanternes, il y avait quelque chose d'insupportable à rester là, les bras ballants. Anselme le sentit et prit le parti de l'action.

— On va s'organiser et déblayer.

En parlant, son corps se remit en mouvement. Les bras surtout, qui ne cessaient de s'agiter pour indiquer où dégager en priorité.

— Passez-moi une corde, on va tendre une ligne de vie autour de l'endroit où y faut chercher.

La corde posée, les hommes se mirent à la besogne sans rechigner. Avec presque rien, leurs mains, les manches de piolet, quelques cordes utilisées comme tire-fort, ils déblayèrent au plus vite le tout venant. Pour les rochers trop lourds, ils s'y mettaient à plusieurs. Sans un mot, ils puisaient dans ce qu'il leur restait de forces, ne voulant pas lâcher le père d'Adelin dans son malheur.

Lui travaillait, avec juste ce qu'il fallait de flexion des reins pour ne pas risquer de s'élonger un nerf. De temps à autre, il s'éraflait sur des brèches et des écornures de pierre. Indifférent à la douleur autant qu'à la fatigue, il continuait.

Longtemps, les hommes besognèrent. Puis, à mesure que la nuit avança, les bras et les épaules s'alourdirent, les reins furent moins tolérants. Les premiers s'agenouillèrent pour continuer à travailler, d'autres suivirent, qui ne voulaient pas flancher et s'asseyaient à croupetons ou s'adossaient contre des rochers pour reprendre haleine.

Le frais de la nuit ne suffisait plus à éponger la fatigue. Un à un, les hommes renoncèrent, redescendant sans un mot, mécontents de devoir rendre les armes mais incapables de continuer plus longtemps.

Quand la nuit se teinta de mauve, il ne restait plus dans la pente qu'Anselme, Armand et le père d'Adelin.

Aucun des trois ne parlait, conservant leurs forces pour remuer, pousser, déplacer ces monceaux de roches.

Comme il était placé, on ne voyait d'Anselme que son dos et ses jambes. Quand il se releva, les deux mains sur les reins, il murmura :

— On va attendre le jour, Léon, et après on reprendra.

Le père d'Adelin se redressa, méconnaissable, le visage creusé, les yeux enfoncés, les joues noircies de terre et de poussière. Ses mots claquèrent comme des lanières :

— Pas moi, je reste.

12

Là-haut, le froid de la terre s'était mêlé à celui de la nuit. Adelin ne le sentit pas monter. Il chercha d'abord à ménager un trou suffisamment profond pour y enfoncer sa branche de bois. Un bout d'épicéa, à peine plus long qu'un bras. Puis il fallut consolider à l'aide de pierres, enrouler la corde autour, tenter de l'arrimer au rocher pour ensuite essayer de se dégager de sous cette gangue de roche.

En se penchant, Adelin crut deviner une lueur dans la pente. Un halo jaunâtre qui divaguait entre les rochers. Puis un second apparut, plus clair celui-là. Et un autre encore, plus loin, se découpant sur le noir crépu des futaies.

— Il ne leur aura pas fallu longtemps, aux pieds plats, murmura-t-il.

L'image du vieux territorial traîné derrière la ferme lui revint. Avec elle, d'autres histoires. Ce lignard qu'il avait vu amener, ligoté sur un brancard, pour être traduit devant un tribunal militaire. Cet autre conduit dans une carrière entre quatre soldats, la main en écharpe, accusé de blessure volontaire. Et ces quelques-uns dont on parlait devant les roulantes, ceux qui s'étaient terrés pendant l'assaut du 8ᵉ de ligne, ceux qui avaient simulé une blessure au 73ᵉ. Tous condamnés.

Les dates et les régiments se mélangeaient. Adelin ne respirait plus, il soufflait. Il ne se sentait pas coupable et pourtant terrorisé à l'idée de passer devant un tribunal militaire.

Dans la pente, les lueurs se rapprochaient. Adelin crut même reconnaître des voix. Alors, dans un geste de désespoir, il tira de toutes ses forces sur la corde attachée au rocher. Au premier essai, rien ne se produisit. Adelin sentit seulement une moindre pression sur sa jambe. Encouragé par cette courte rémission de la douleur, il essaya de nouveau après avoir passé la corde autour de ses épaules.

Lentement, le rocher se souleva puis s'immobilisa. Adelin commença par remuer les orteils, puis la cheville et enfin tout le pied. Les articulations bougeaient.

Avec d'infinies précautions, il s'extirpa du trou en prenant appui sur les coudes Quand il fut sorti, il inspecta de nouveau sa jambe. Sous son pantalon, il reconnut la brûlure des chairs à vif.

En bas, les lumières s'agitaient. Adelin hésita entre se cacher et se rendre. Quand il vit une lanterne monter vers lui, sa décision se prit d'elle-même. Dans un geste d'affolement, il attrapa son sac, enroula sa corde et s'enfuit en se faufilant entre les rochers.

Au bout de quelques minutes, il osa regarder derrière lui. En bas, un feu de branches brûlait à grandes flammes. Les voix s'étaient tues, la montagne aussi.

C'était à peine si de temps à autre un murmure de vent venait fouiner dans ces décombres.

En se repérant aux ombres des massifs, Adelin se situa un peu sur la gauche du replat de la Chaumette, endroit d'où était sans doute parti le gros de l'éboulement.

Il se souvint alors de la montée avec son père. Le grand couloir, le surplomb où il avait failli renoncer et, tout en haut, cette grotte ignorée de tous. L'idée lui fut douce à l'esprit. Il chercha une raison pouvant le dissuader de monter. La pente, presque verticale à cet endroit, la nuit épaisse, sa jambe meurtrie, sa plaie au dos peut-être rouverte. Plus il y réfléchissait, moins les arguments lui paraissaient solides.

La grotte était au-dessus de lui, une centaine de mètres tout au plus. Il ne la voyait pas, mais la devinait.

Il se souvint alors de ce jour où, enfant, il avait escaladé l'un des murs de sa ferme. Un marteau à la ceinture, il avait enfoncé ses doigts entre les pierres. Ses bouts de semelle avaient suivi. A mi-hauteur, ses muscles avaient commencé à trembler. Ses genoux avaient cherché des appuis bien illusoires, ses coudes s'étaient collés à la pierre.

« Décolle-toi du mur, avait crié son père depuis le bas, et lève le nez pour chercher des prises. »

Il y avait dans sa voix autant de fierté que de reproche. Des mots prononcés doucement pour ne pas brusquer. Jusqu'en haut, il l'avait guidé, sans lui proposer d'aide. Il en était ainsi dans la plupart des familles. Quand les gamins attrapaient l'âge de grimper, les parents laissaient faire, attentifs à montrer les limites. Quand le père n'était plus là, il revenait à un autre membre de la famille, grand-père, oncle ou cousin, de montrer les gestes et de les expliquer.

La paroi était face à lui. Invisible. Adelin l'imaginait. Il savait la roche froide à cette heure du matin, granuleuse, humide là où la rosée commençait à se déposer. Une dernière fois, il regarda vers la vallée puis, lentement, comme s'il était depuis longtemps décidé qu'il ne pouvait en être autrement, il s'engagea dans le couloir menant à la grotte.

A mesure qu'il grimpait, Adelin se remémorait le passage. A gauche, une sorte de longue lame de schiste, lisse et glissante. Au milieu, des écailles épaisses qui formaient de bonnes prises de main. S'y agripper du bout des doigts était possible.

Brusquement, son corps s'arrêta. Ses doigts, sa main, son souffle, même son sang se figèrent. Le coup de corne qu'il venait d'entendre le pétrifia. Rester ainsi était impossible. Ses muscles allaient se durcir, ses doigts le trahir.

Tout en cherchant un appui plus solide, il s'étonna que la gendarmerie utilisât une trompe de chasse.

« Ils ont réquisitionné des guides », songea-t-il sans vraiment y croire.

Dans un tournis d'idées et de sentiments, Adelin sentit son corps se mouvoir. Il rampa sur plusieurs mètres jusqu'à l'entrée de la grotte. Longtemps, il resta face contre roche, à s'enivrer de cette haleine de cave humide. Ici, personne ne le retrouverait, il en était certain.

13

Le père d'Adelin attendit d'être au bout de ses
forces avant de regagner sa ferme. De ses manches de
veste, pendaient ses mains. Elles avaient tout donné,
tout accepté, les coups comme les écorchures, les
efforts comme les renoncements. Ses doigts étaient
enflés aux articulations, les ongles bombés d'avoir trop
forcé, les paumes et les revers couverts d'une crasse
épaisse.

Le combat avait été sans limites. Il n'était que de
voir ses yeux et son visage pour s'en convaincre. Au
fond d'orbites démesurément sombres, se consumaient
deux petites flammes bleues prêtes à s'éteindre. Le
pourtour n'était que cendre et suie. Sur le menton et
le cou, la sueur s'était mêlée aux poils de barbe, formant des caillots et des coulures.

Malgré sa mise dépenaillée, il conservait un air
digne. Arrivé au bord du chemin, il remercia Armand
d'être resté jusqu'au bout à son côté. Une simple
accolade, accompagnée d'un bref regard où ni l'un ni
l'autre n'auraient su dire si l'espoir avait encore sa
place.

Puis sans un mot, il coupa à travers champs pour regagner sa ferme. Arrivé à l'entrée du chemin, il aperçut sa femme debout dans la courtine. De loin, elle semblait toute raide dans sa robe de toile bleue, le tablier noué à la diable sur le haut des hanches. Elle avança de quelques pas, confuse de faire crisser des cailloux. Regarda venir son mari, s'essuya les mains comme à son habitude dans le revers de son tablier, puis rentra. Le père d'Adelin remarqua le haut de sa nuque oscillant de droite à gauche en signe de néga-tion, peut-être aussi une façon à elle de dénoncer le mauvais sort qui s'acharnait sur eux.

A l'intérieur, il faisait froid et sombre. Ni feu, ni soupe. Pas même cette odeur rance de cuisine qui d'ordinaire demeurait longtemps à ramper sous les meubles et stagnait au fond de l'évier en bois.

En voyant son mari s'asseoir pesamment sur le banc, elle n'osa l'accabler de mots. Ses yeux étaient pleins d'eau. Ses mains potelées transpiraient, cher-chaient à s'occuper, faisaient semblant de se justifier en attendant de trouver de l'ouvrage. Elle les essuya plusieurs fois dans son tablier avant de demander :

— T'as bien appris quelque chose...

— Rien. On a seulement retrouvé son piolet.

— Son piolet ?

— J'ai reconnu ses initiales dessus. Il était à mi-hauteur des éboulis. Avec rien autour.

— Et son sac, sa veste ?

— Rien, j'te dis. C'est pourtant pas faute d'avoir déplacé de la caillasse.

— Et plus haut, vers la Chaumette ?

— Pas plus. Anselme y est monté voir.

— Il l'a pas perdu tout seul son piolet, quand même, risqua la mère d'Adelin.

Le père retint ses mots. Il avala plusieurs fois sa salive avant d'ajouter :

— Faut se faire une raison. A part en se réfugiant quelque part, je vois pas comment il aurait pu s'en sauver.

— Mais les autres, qu'est-ce qu'ils en disent ?

— Pas plus que moi.

— Et Anselme ?

— Même lui. Par deux fois, il est monté voir.

— Et alors ?

— Rien, j'te dis, même pas une empreinte de souliers.

Sur ce constat d'impuissance, il se tut, laissant sa fatigue envahir ses sens. Pendant que sa femme apportait de quoi boire et manger, il se laissa aller, la tête ballante, les bras posés à plat de chaque côté de son assiette. Pour un peu, il se serait endormi à table, chose à laquelle il avait toujours su résister.

Dans cette torpeur blanchâtre, il crut voir une ombre passer devant la petite croisée. Un mouvement, une tête. D'un coup de rein, il s'arracha du banc. La poignée en fonte, le gros bois épais du panneau, l'angle vif du chambranle, tout fut à portée de main en un instant. Un rectangle de jour se faufila dans la pièce au moment où il ouvrit la porte.

— Ah, c'est toi, murmura-t-il en découvrant la silhouette rondouillarde du maire.

— Qui veux-tu que ce soit ? fit l'autre, le buste arrogant, un peu contrarié d'avoir dû partir sans avoir eu le temps de se raser.

Son visage en était assombri, l'un de ces faciès circonstanciés qu'il savait se composer à la demande.

— Alors on se méfie de moi, lança-t-il sans préalable. Note bien que ce n'est pas un reproche, à peine une remarque. En pareilles circonstances, je ne me permettrais pas.

Il respira plusieurs fois, très fort, pour laisser à ses mots le temps de bien creuser le silence. Dire la suite le démangeait, c'était visible à sa façon de mâcher sa langue, presque goulûment.

— Comme tu me vois, enchaîna-t-il, tu as devant toi un homme blessé.

Il hésita un court instant sur l'adjectif, puis reprit de plus belle :

— Doublement blessé. Blessé qu'on ne lui fasse pas confiance et blessé d'être ignoré dans sa fonction de serviteur de la nation.

Les mots sonnaient bien, les phrases s'enchaînaient de belle manière. Satisfait, il poursuivit sur un ton arrangeant, presque complice :

— Les guides, bien sûr qu'ils peuvent t'aider, mais vois-tu, vis-à-vis des autorités, ça ne fait pas sérieux de s'en remettre à eux. Surtout dans un cas comme celui qui nous occupe. C'est du ressort des autorités, une affaire pareille. Mairie, préfecture, sans parler des ministères, ce sont des endroits où il faut de l'entregent, tu sais, pour être écouté en cas de complications.

Le père d'Adelin était resté dans l'entrée, la main

sur le battant de la porte. Sa poitrine respirait à petits coups rapides, ça se voyait à la demi-lune de son tricot de peau qui battait sur son torse. Il chercha ses mots, les aligna un à un devant ses yeux avant d'être sûr de pouvoir les dire. Puis demanda, sans ciller :

— Et il aurait fallu faire quoi, d'après toi ?

— Passer me voir, pardi. On aurait bien trouvé un arrangement entre hommes d'ici.

— Un arrangement sur quoi ?

— Pour savoir qui de moi ou des autres devait diriger les secours.

— Y a rien à arranger, explosa le père d'Adelin. Mon fils est coincé sous des tonnes de roches et toi tu me parles d'arrangement.

— Un mot comme un autre, concéda le maire. On pourrait tout aussi bien dire un partage de compétences.

— J'm'en fous, de tes mots. C'est des bras qu'y nous faut. Alors, si tu te sens de venir remuer de la roche, te prive pas, je m'en vais même t'accompagner.

Le maire n'apprécia pas de se faire bousculer de la sorte, même sans témoins. D'une main nerveuse, il tira sur les pans de sa veste pour les remettre d'aplomb et chercha à s'en sortir avec l'une de ces phrases sibyllines qui avaient jadis fait sa réputation d'orateur :

— T'as tort, Léon, de le prendre comme ça. Je veux bien mettre ça au compte de l'émotion, mais t'as tort quand même. J'espère que l'avenir ne te fera pas regretter tes choix.

— Tu me menaces, maintenant ? Sous mon toit ?

— T'énerve pas, conseilla le maire, battant en

retraite à petits pas pressés. Ce n'est qu'une mise en garde, et des plus amicales. Mais méfie-toi quand même...

La porte qu'il faillit prendre en pleine face claqua en faisant trembler le bois du chambranle. Le silence s'était recroquevillé dans les recoins de la pièce.

Le père d'Adelin mit quelques instants avant de retrouver son calme. De sa main grise de terre, il se frictionna la nuque puis le front, où il s'attarda pour remonter des mèches encore trempées de sueur.

— Ferait beau voir qu'on vienne me dicter ici ce que j'ai à faire. Il a tourné fou ou quoi ?

Sa colère était celle d'un homme impuissant devant l'adversité. Prenant sa femme à témoin, il pointa le doigt, menaçant :

— Qu'il revienne pas, parce qu'il faudra me l'arracher des mains, tu m'entends.

— Léon...

— Des mains, j'te dis. Ça fait des mois qu'on supporte sans rien dire, qu'on se tait et qu'on endure.

— Il y est pour rien...

— Tu parles... tous pareils. Pour faire les beaux y sont toujours là, mais pour aller se faire percer la panse, y a plus personne.

— A son âge...

— C'est pas l'âge qui compte, c'est les tripes. Il s'inquiète pas pour son fils, lui, il est bien tranquille, au chaud, planqué à la préfecture. Les nôtres sont dans la boue jusqu'au cou, comme des rats à attendre de crever.

— Tu te fais du mal, tenta de dire sa femme, à court d'arguments.

— Si je m'écoutais... menaça-t-il en écrasant le poing sur la table.

Sa phrase s'interrompit sur d'autres mots qui ne franchiraient pas ses lèvres. Sur d'autres idées aussi, qui lui traversaient la tête, aussitôt rejetées tant elles étaient, sans doute, inavouables.

Sa femme le sentit. Et dans un geste oublié depuis longtemps, elle s'approcha de son mari et lui posa la main sur la poitrine. Entre ces doigts blancs et cette cage thoracique à la peau tannée, la distance avait fondu soudainement. Durant un instant, l'un et l'autre respirèrent au même rythme. Entre eux, s'installa le même murmure des mots qui incitaient à ne pas renoncer, à croire encore. Tant que le corps de leur fils ne serait pas là devant eux, couché sur cette table de bois, c'est qu'il n'était pas mort. Ils demeurèrent ainsi quelques instants, presque gênés d'être l'un contre l'autre, elle jouant avec la broussaille blanche de sa poitrine, lui les bras ballants, hésitant à lui prendre la main, à lui dire les mots qu'elle attendait.

— Ma pauv' femme, finit-il par murmurer, c'qu'on aura enduré, quand même.

Il y avait dans son expression autant de tendresse qu'il était capable d'en mettre, même si les mots n'étaient pas ceux qu'il aurait aimé dire.

Plus tard dans la matinée, arriva Armand, accompagné de deux anciens guides de Sixt. Le premier, très grand, osseux, avait le visage encadré d'une barbe blanche et moussue, le regard droit comme un trait de scie. Au cou, il portait un foulard rouge noué en double, sur la tête, repoussé très en arrière, un béret noir délavé. L'autre était petit, avec un visage chafouin, sans cesse en mouvement, les yeux à l'affût sous une cascade de rides et de replis de peau.

Le père d'Adelin connaissait le second. Ensemble, ils avaient bûcheronné sur les Hauts de Communes bien avant guerre. C'était là qu'il l'avait vu couper le sang sur la jambe d'un bûcheron. Un coup de hache lui avait enlevé une partie de la cheville, chair, malléole et tendons ne formaient plus qu'une même bouillie. Le bûcheron avait beau tenter de faire un garrot avec ses mains, le sang continuait de couler entre ses doigts.

« Mets-toi z'y là que je t'arrange ça », avait ordonné l'homme au visage de chat.

Assis par terre, une souche en guise de dosseret, l'autre s'était laissé examiner.

« Tu vas perdre ton soulier, mais tu sauveras ton piot », avait annoncé le petit homme, à peine la blessure examinée.

Il parlait sans cesse, jetant ses mots comme des brindilles sur un feu, expliquait comment il allait s'y prendre. De la pointe de son couteau, il écarta les lèvres de la plaie, tout en traçant des signes de croix avec l'ongle du pouce.

« Y a des esquilles là-dessous, faut y faire sortir », dit-il en enfonçant le bout de sa lame au milieu des chairs.

Il disait cela sans émotion, les yeux fixés sur la plaie.

En y regardant de près, le père d'Adelin découvrit que le sang ne coulait plus. Les chairs étaient blanches, au fond comme sur les bords. Après un temps mis à vérifier la blessure, le petit homme demanda qu'on lui apporte des champignons de mélèze, présents sous les écorces. Blancs et fins comme du papier à cigarette, d'où le nom donné par les bûcherons valdotains de « papier de mélèze », ils avaient la réputation de couper le sang. Une fois les champignons posés sur la plaie à la manière d'une gaze, il attrapa une topine de gnôle, s'emplit la bouche d'une longue rasade et commença à souffler un brouillard d'alcool sur le pied meurtri.

Le blessé ne se plaignait pas. Il ne semblait pas plus souffrir que s'il se fût agi de tailler un morceau de cuir dans son brodequin.

Une nouvelle fois, l'homme au visage de chat traça des signes de croix. C'est à ce moment que le père d'Adelin le vit psalmodier. Tout en parlant, il laissait sortir des chuintements ressemblant à des mots de messe. Même en tendant l'oreille, on ne comprenait rien. Le père d'Adelin se retira alors pour rejoindre les autres, restés à distance.

« Dans huit jours, y marchera comme de rien », prédit l'un des hommes.

Les autres opinaient du chef, sachant que c'était vrai, se refusant néanmoins à avancer la moindre explication à une logique qui les dépassait. Ils savaient l'homme à tête de chat capable de trouver une source sous des mètres de roche. Capable aussi de plonger sa main dans un nœud de vipères pour le déloger d'un mur ou de transporter un essaim d'abeilles sur son corps. Lui n'en tirait ni gloire ni avantage. Seulement, de loin en loin, un plissement mystérieux des yeux qui amplifiait encore sa ressemblance avec les chats.

— Adieu, Léon, dit-il en s'approchant du père d'Adelin.

Il lui empoigna l'avant-bras en pressant ses mains tout autour. Ses yeux furetaient partout. Quand ils rencontrèrent ceux de Léon Jorrioz, ils s'immobilisèrent, rassurants et bons.

— On va le r'trouver, ton garçon, fit-il en appuyant ses mots de petits hochements de tête. On va le r'trouver, fais-moi confiance.

En parlant, il s'était défait d'une grosse musette en peau de mouton fermée par une corde. Une fois la musette posée sur la table, il en sortit une longue baguette de bois en forme de langue de vipère. L'écorce était intacte sauf au bout de chaque pointe. Il la porta à hauteur de sa poitrine et en testa la résistance en la pressant entre les paumes de ses mains.

— C'est Armand qui y a pensé, dit-il, une moue au bord des lèvres, pas totalement satisfait, semblait-il, de la souplesse du bois. Je vais y mouiller un peu, indiqua-t-il en s'approchant de la seille de bois où était gardée l'eau pour la cuisine.

Il humecta sa badine avec douceur, comme il l'eût fait d'un baume sur un membre. Que tout le monde le regardât lui importait peu. Il allait de son mouvement lent, en commençant par les pointes de la fourche, et revenait vers le haut. Ses lèvres murmuraient des mots à lui qu'une oreille humaine ne pouvait identifier.

— L'eau, vois-tu, ça a une mémoire, comme nous autres, dit-il. Ce qu'elle connaît de la montagne, elle va le transmettre au bois de coudrier et ainsi de suite jusqu'à mes mains. C'est pas plus compliqué que ça, ces affaires-là. Suffit d'y croire un peu et de pas faire le prétentieux...

Il testa de nouveau la souplesse de sa fourche, qui lui parut cette fois satisfaisante. Ses yeux sourirent avant ses lèvres. Après quoi il s'avança vers le père d'Adelin et lui dit d'une petite voix flûtée :

— J'trouve bien de l'eau avec ma baguette, pourquoi ça marcherait pas pour un humain ?

Comme personne ne répondait, il saisit sa musette par la partie ventrue, ainsi qu'il l'eût fait du dos d'un chaton, et s'en fut vers la lumière de la petite fenêtre. Il farfouilla avec précaution dans le fond de son sac, soucieux, semblait-il, de ne pas heurter l'objet qui s'y trouvait.

— Et puis j'ai apporté ça aussi, dit-il au bout de quelques instants. On y croit ou pas. Je l'ai déjà eu essayé pour des animaux perdus, souvent on les a retrouvés...

Dans sa main, il tenait une bouteille de verre. Un bouchon de cire rouge en fermait le goulot. Avec beaucoup de délicatesse, il souleva la bouteille pour la mettre dans la lumière et annonça :

— Dedans, y a le dernier souffle de mon grand-père. Il savait pas mal de choses, le saint homme, c'est lui qui m'a tout montré. Et comme il lui restait encore beaucoup à m'apprendre, il a tout mis dans la bouteille au dernier moment, des fois que j'en oublie.

Personne ne bougeait, partagé entre l'incrédulité et les certitudes de l'homme à la tête de chat. Il inclina de nouveau sa bouteille comme pour en vérifier le contenu et reconnut dans un haussement d'épaules :

— Personne ne saura jamais comment ça se goupille là-dedans. Ça chauffe, c'est tout. Quand on s'approche de l'objet ou de la bête égarée, ça se met à chauffer, comme si c'était une bouillotte.

L'homme à la tête de chat était si sûr de son fait que le père d'Adelin reprit espoir. Une pâle lumière ruisselait sur ses traits et s'incrustait au fond de ses yeux. Il passa sa chemise encore humide, roula ses manches au-dessus des coudes. Ses bras ressemblaient à des branches où s'agrippaient des viornes poilues.

Après un temps d'hésitation, il fit asseoir son monde. Pendant que sa femme posait des assiettes pour la soupe, il proposa à boire. En servant le vin de haut, bras tendu, il jetait à chacun un coup d'œil des fois qu'un regard, une moue, un mouvement de tête pût l'informer de quelque chose. Rien ne vint. Le silence demeurait immobile, parcouru de mille sentiments contraires. Chacun considérait à sa manière la situation : désespérée, inquiétante ou simplement préoccupante.

Peu de mots furent échangés pendant la soupe. On parla du temps, des orages à venir, des travaux à entreprendre et de ceux à reporter. Des banalités d'usage. On buvait à petits coups pour faire durer et se donner ainsi le prétexte de ne pas parler. Les hommes acquiesçaient souvent, mouvement de tête ou haussement de sourcils, peu importait pourvu que l'on participât d'une manière ou d'une autre.

Ce fut le père d'Adelin qui pressentit le moment où il fallait parler.

— On sait pas à quel moment Adelin s'est fait prendre là-dessous. Selon moi, c'était hier matin, quand tout a lâché.

Il s'arrêta puis, baissant la tête, ajouta :

— On n'a rien trouvé d'autre que son piolet. C'est pas une preuve, d'après Anselme, mais quand même...

— Ma foi, il s'y connaît mieux que nous, intervint l'homme à la tête de chat, l'épaule remontée dans un mouvement censé soutenir sa pensée.

Le père d'Adelin attendit un court instant, espérant d'autres mots. Comme rien ne vint, il poursuivit en portant le fer là où la plaie lui faisait le plus mal :

— Si ce soir on n'a rien trouvé, faudra bien se rendre à l'évidence, c'est qu'y aura plus guère d'espoir.

14

Couché en chien de fusil, Adelin regarda la nuit arriver par petites touches. Le noir se fit plus intense, les ombres s'allongèrent, se déformèrent puis s'évanouirent. La montagne se tut, effaçant ses bruits un à un.

Toute la journée, Adelin avait entendu des voix et des appels dans la pente. Certains, étouffés par la distance, ne parvenaient que par bribes. Il les situa très loin du côté du champ d'Armand, peut-être plus bas encore dans la vallée. D'autres étaient beaucoup plus proches. A un moment, il lui sembla même percevoir le cliquetis d'une pointe de piolet. Tout y était, le bruit aigu du métal, l'intervalle entre deux touches, le rythme saccadé. Adelin aurait même juré entendre le crissement des semelles sur le rocher.

Il s'était blotti, l'oreille contre la pierre, pour écouter comme une fois dans une casemate à Omiécourt. Toute la nuit, il avait entendu les coups de pioche des Allemands creusant une sape sous les lignes françaises. Chaque heure, un adjudant du génie venait et collait son oreille au sol. Son estomac, fendu par son ceinturon, cessait de battre quelques instants puis le verdict tombait :

« C'est pas pour tout de suite. »

Et l'attente reprenait, lancinante et grave.

Peu à peu, le bruit de piolet se fit plus lointain puis disparut totalement.

Quand Adelin passa la tête hors de la grotte, l'horizon flamboyait. Au couchant, les sommets se perdaient dans un émiettement de brumes tissées de mauve, de rose et de pourpre. Au fond du ciel, des langues de feu soudaient l'horizon, brûlaient les nuages, incendiaient tout ce qui était à leur portée.

Les deux Môles avec leur dôme herbeux, les Esserts et leur moutonnement d'épicéas, les Saix, piqués de rochers gris, tous ces sommets familiers étaient alignés à perte de vue. Adelin fut rassuré de les voir ainsi. Il se pencha pour tenter d'évaluer l'ampleur de l'éboulement. Une immense ravine s'ouvrait jusque dans la vallée avec par places des amoncellements de roches hauts de plusieurs mètres.

Pour la première fois depuis longtemps, Adelin respira sans retenue. L'air avait un goût de roche. Assis sur la dalle de pierre, il se sentit à la fois fort et démuni. Pour tout objet, il n'avait retrouvé dans son sac qu'un couteau à lames, une chemise, son briquet et des restes de nourriture écrasés. Vainement, il avait lutté contre la faim durant la journée, essayant de déloger des miettes de pain au fond de son sac.

S'il n'y avait eu sa jambe meurtrie et ses élancements dans le dos, il aurait eu tôt fait de nouer une corde autour d'un rocher et de se laisser glisser dans les éboulis. De là, en moins d'une heure, il aurait pu gagner les vergers, chercher de quoi manger, entasser une brassée de foin ou de feuilles dans un sac à grains pour en faire une paillasse.

Quand le ciel vira au noir, Adelin sut que sa décision était prise. La corde passée autour de la taille, son sac sur les épaules, il se laissa glisser dans la pente. Au début, tout lui parut simple. Ses mains étaient fermes sur le chanvre, qu'il sentait glisser entre ses paumes. Il descendait sans effort, presque sans bruit. A intervalles réguliers, ses doigts serraient la corde pour ralentir la descente ou l'orienter. Une longueur, une autre, et, d'un coup, un choc.

Suspendu dans le vide, il sentit tout de suite la corde se serrer sous ses côtes, juste sous sa blessure. Il tenta de reprendre appui du bout des pieds, chercha d'une main où était la paroi. Ses épaules tournaient de droite et de gauche, l'empêchant de rester face à la pente. Sous lui, un noir profond. De chaque côté, le noir pailleté de la roche, renvoyant une myriade d'éclats de nuit.

Durant quelques secondes, Adelin tenta de retrouver un semblant de calme. Dans sa tête, les idées s'entrechoquaient à une vitesse folle. Il ne savait plus s'il fallait penduler ou essayer de se stabiliser. L'air ne parvenait qu'à petites goulées dans sa gorge. A chaque inspiration, la corde se refermait un peu plus. Il savait sa blessure fragile à cet endroit, profonde, à en croire la description de son père. Bouger risquait d'arracher les sutures, demeurer ainsi le condamnait à l'asphyxie.

Par les anciens, il avait entendu raconter des histoires d'hommes pendus, restés seuls au bout de leur corde durant des heures. La mort venait lentement, par asphyxie et épuisement. Chaque geste comptait alors, chaque mouvement inutile avait ses conséquences. La respiration se faisait sifflante et haletante tant que le corps avait la force de se débattre, puis tout s'engourdissait.

Avec d'infinies précautions, il chercha à reprendre appui sur la paroi. Atteindre la roche n'était pas le plus dur, il fallait aussi s'y agripper, s'arrimer. Une fois, dix fois, il renouvela le même geste.

Noué par la peur, il imaginait pourtant clairement le geste à faire. L'endroit où poser le pied était tout près, à une portée de semelle. Le corps presque à l'horizontale, il finit par accrocher un bout de roche du rebord d'un brodequin.

Le reste se fit en se contorsionnant. Quand Adelin sentit la roche sous ses doigts, elle lui parut fraîche. Il se savait sauvé. Lentement, il reprit son souffle, à petites goulées, laissant à l'air le temps de bien entrer en lui.

Après, les choses se firent avec beaucoup de prudence. Sur chaque prise, Adelin pesait lourdement, s'assurant chaque fois de sa solidité avant de s'engager. Le moindre doute valait renoncement. De pas chassés en courtes enjambées, il retrouva une roche plus sûre avec des prises de main solides sous les doigts.

Une fois décordé, Adelin entreprit de descendre le couloir. Il avançait vite, sur la roche comme dans les éboulis. Habité par une espèce de joie mêlée de rage, il franchit tout l'éboulement en moins d'une demi-heure. Parvenu dans le champ d'Armand, il alla fouiner auprès des cendres qui s'étaient consumées toute la journée. Des filets de fumée s'en échappaient, maigres comme des ficelles.

De plus en plus habitué à l'obscurité, Adelin repéra très vite un chariot remisé sous des branches de noisetiers. C'était une tonne à eau qu'il reconnut à son ventre cintré. A côté se trouvait un amas de caisses. Il ne lui fallut pas longtemps pour en faire l'inventaire. Beaucoup d'outils, des sacs à grains, des brodequins, une paire de bottes à revers et, dans une caisse un peu à l'écart, une lanterne à pétrole. A l'aide de son briquet, il vérifia l'état de la mèche, le verre et le contenu du réservoir. Satisfait de sa trouvaille, il déposa la lampe sous la tonne à eau pour la prendre au retour.

Une fois parvenu à la ferme de ses parents, Adelin se sentit de trop dans cet espace pourtant familier. Là où jadis il poussait de l'épaule et ouvrait du pied, il lui fallait désormais retenir ses gestes pour étouffer les bruits. Dans le bûcher, il hésita, puis s'empara d'une pelote de grosse ficelle, de clous, d'une lame de scie, d'une pierre à affûter et de plusieurs pièges à grive.

C'était chez lui, mais déjà ailleurs. Très loin en lui, une mauvaise eau coulait. Il en devinait le goût, en pressentait l'amertume. Pour éviter d'avoir à l'affronter, il se mit à agir vite, comme on le lui avait appris au front. Un geste, une décision, qui ne devait laisser place

178

ni aux sentiments ni aux hésitations. Ainsi, les choses s'enchaînaient sans avoir à y penser.

Dans le mazot, une veste de pluie, des moufles de cuir, une casquette en peau de martre rejoignirent ses outils au fond de son sac. Il renonça à une paire de jambières pourtant utiles dans la neige, ne prit qu'une poignée d'allumettes, qu'il enveloppa dans une feuille de papier de journal, se résolut à laisser une couverture en poil de jument. Toutes choses dont l'absence pouvait éveiller l'attention.

Pour les vivres, il fut plus prudent encore. Sur le point de repartir, il ressentit le besoin de passer par la courtine. Le banc était là, avec ses lattes à claire-voie. Il s'assit à la même place que son père. La main sur le bois, il caressa longtemps les lames carrées. Il les connaissait une à une. Celle avec son éclat, l'autre vrillée comme un morceau de guimauve et celle du creux des reins qu'il avait fallu remplacer. Enfant, il s'amusait à y glisser ses doigts, prêt à les enlever au moindre mouvement. Parfois, il se faisait pincer, souvent il était le plus rapide.

Il resta ainsi un long moment, immobile, les mâchoires serrées. Ses pieds vinrent se poser au même endroit que son père, ses yeux dans le même lointain, ses mains sur l'arrondi du bois, de part et d'autre des genoux. Détails et souvenirs se mélangeaient. Les retours de courses, le bras de son père sur son épaule, l'odeur de sa sueur, ses genoux pointant comme des galets sous l'étoffe du pantalon.

Adelin ferma les yeux. Un soupir s'échappa de sa poitrine. Il imaginait la détresse de son père, ses recherches dans l'éboulement, sa mine d'homme vaincu le soir venu, ses yeux pleins d'espoir au matin. Alors, avec une rage qui ne l'avait pas quitté de la nuit, il pressa le bois aussi fort qu'il le put, pour y laisser une empreinte, la mémoire de quelque chose qu'ils étaient seuls à pouvoir partager.

15

Au matin du deuxième jour, le père d'Adelin finit par s'endormir. Pas pour bien longtemps. Englué dans un mauvais sommeil, il entendit qu'on lui parlait, sentit qu'on le remuait. Laissant sa main tomber au sol, il s'aperçut qu'on la secouait comme un chiffon. Penchée sur lui, sa femme l'appelait à mots feutrés :

— Léon, réveille-toi...

Le mince bourrelet de lumière encadrant les volets n'annonçait pas encore le jour. A peine une lueur au moment où la nuit commence à perdre ses certitudes. Il se redressa en appui sur un bras, essaya de comprendre ce qu'on lui voulait :

— T'entends pas ? Y a quelqu'un dans la courtine, murmura sa femme.

— Ecoute voir.

En effet, sur le devant de la ferme, on distinguait des bruits de planches déplacées, des pas, des mots lancés à la volée.

— Qu'est-ce que c'est que ce chambard ? marmonna le père en se levant.

En tricot de peau, il tâtonna avant de trouver son

pantalon, qu'il passa sans prendre le temps de serrer la ceinture, puis se dirigea vers la porte, pieds nus. Derrière, on parlait à haute voix. Lorsqu'il souleva le madrier qui barrait l'entrée, les bruits cessèrent.

— Ah, t'es là, dit la petite voix pateline du maire sitôt la porte entrouverte.

Il susurrait ses mots, croyant ainsi les rendre plus présentables. D'un geste qu'il voulut ample, il présenta son monde.

— L'adjudant Berthier de Bonneville, le brigadier Delacroix de Samoëns, tu connais ?

Les deux hommes se tenaient un peu en retrait. Le moins gradé salua de la tête, l'autre resta muet.

— On peut entrer ? s'informa le maire.

En parlant, il penchait la tête, sorte de manière de faire qu'il classait sans doute au rang des gestes de prévenance. Pour un peu, il aurait même courbé l'échine, juste de quoi montrer à quel point il compatissait. Devant la porte, il s'effaça pour laisser le passage aux deux gendarmes.

Le père d'Adelin fouilla quelques instants pour trouver des allumettes dans la boîte suspendue au-dessus de l'évier. A la première tentative, la mèche de la lampe refusa de s'allumer. Il secoua le réservoir pour faire monter le pétrole, souleva le verre et tourna la molette. Quand la flamme commença à s'élever, précédée d'un liseré de fumée, il laissa retomber la protection dans un cliquetis de ferraille et lâcha d'une voix grasseyante :

— Ça aurait pas pu attendre, non ?

— Quoi donc ? s'empressa de demander le maire.

— Votre venue, pardi. Vous arrivez à point d'heure comme si vous aviez le feu aux trousses.

— C'est que... bredouilla l'édile avec un mouvement de sourcils en direction des gendarmes.

Le brigadier avait une stature un peu replète, des joues vermillonnées par vingt ans de service et un visage d'honnête homme. A la tête de la brigade depuis huit ans, il s'efforçait de faire respecter la loi sans zèle excessif ni faiblesse coupable.

— Monsieur Jorrioz, c'est pas de gaieté de cœur qu'on est là, seulement y a la loi.

— Et alors, j'l'ai violée, la loi ?

— Non... mais on est venus pour vous la rappeler.

— Si vous avez du temps à perdre... ça vous regarde.

Accoté contre le gros poteau central, l'adjudant Berthier se redressa et s'approcha pour se mettre dans la lumière. Dans une main, sa sacoche de selle, sous son bras son képi. Tout de suite, le père d'Adelin devina en lui l'homme de règlement, rigide et dur. Son buste était raide sous la vareuse, son corps légèrement cambré à hauteur des reins. Son visage, découpé dans le même patron, était blanc et lisse. Une tête de poisson froid, pensa le père d'Adelin.

— Jorrioz Adelin, c'est bien votre fils ? demanda-t-il d'une voix sans timbre.

Dressé de toute sa taille, le torse velu sous le tricot de peau, Léon Jorrioz le regarda, suffoqué.

L'autre poursuivit :

— Habitant au lieu-dit les Allamands, sur la commune de Samoëns ?

— Hein ? fit le père d'Adelin.

— Des formules administratives, intervint le maire, c'est pour s'assurer qu'il n'y a pas erreur sur la personne.

Sans lui prêter attention, l'adjudant continua en annonçant la date de naissance, l'âge, le grade d'Adelin, son régiment et son matricule, trébucha sur une expression compliquée qui semblait vouloir dire convalescence. Des formules débitées sur un ton administratif, jusqu'au moment où l'une d'elles sembla éveiller davantage son attention. Levant le menton pour la prononcer, sa voix se fit guindée :

— N'a pas rejoint son régiment à l'heure dite.

Interdit, le père d'Adelin le laissa parler puis s'avança le doigt pointé. Pressentant l'incident, le maire s'interposa :

— Des formules, j'te dis, rien d'autre.

Le maire n'avait pas mauvais fond. Il remuait la tête de droite à gauche comme une grosse bête pattue renâclant devant l'obstacle. A défaut de solution, il aurait aimé proposer quelque chose ressemblant à un compromis où chacun aurait eu le sentiment de s'en sortir à bon compte. Sous son crâne dégarni, la ronde des idées avait du mal à s'élancer. Il tenta une diversion en levant la main comme un homme réclamant la parole puis se reprit, hésita. Subitement, son œil s'éclaira :

— Messieurs, en ma qualité d'élu du peuple, je me dois de vous rappeler qu'un texte peut parfois être soumis à interprétation, surtout dans les circonstances présentes...

— C'est pas le cas ici, trancha l'adjudant, je suis là

pour rappeler la loi et ce que l'on encourt en portant assistance ou aide à un insoumis.

Il ramena sa sacoche sur le devant, l'ouvrit et en sortit plusieurs feuilles de papier grisâtre portant les timbres de la République.

— La loi, dit-il avec autorité. Elle date du 27 juillet 1872, aucun texte ne l'a abrogée ni modifiée à ce jour.

L'adjudant tendit les feuilles au père d'Adelin sans un regard pour le maire.

— Mais tout de même, il y a force majeure, objecta ce dernier, prenant des poses d'homme offusqué.

— Pas en l'espèce.

— Mais la préfecture semblait dire...

— C'est pas de leur ressort.

L'homme en uniforme savait son rôle, où repartie et contestation n'avaient pas leur place. Il parlait vite en faisant crépiter ses mots. Après un regard circulaire autour de la pièce, il annonça sans une once d'émotion dans la voix :

— On passe à l'inspection, maintenant : pièces principales en premier, granges, communs et bûcher ensuite, ordonna-t-il au brigadier.

Et sur un ton plus informatif que menaçant, il ajouta à l'adresse de Léon Jorrioz :

— Trois de mes hommes sont dehors, si des fois votre fils s'était réfugié ici, autant nous le dire tout de suite.

Avec tout le dégoût dont il était capable, le père d'Adelin s'approcha de lui, le repoussa du regard avant de lui lancer en pleine face :

— Y a l'éboulement aussi à fouiller, entre trois et dix mètres de haut par endroits. Mais là j'vous préviens, va falloir des reins... et un peu plus souples que les vôtres.

Le maire s'était redressé. A son regard un peu matois, le père d'Adelin comprit qu'il appréciait la repartie mais n'en laisserait rien paraître. Un trait à la place des lèvres trahissait son sourire immobile.

Pour ne pas avoir à supporter l'humiliation d'une fouille menée en sa présence, Léon Jorrioz sortit. Dehors, l'air avait encore le goût de la nuit. Au-delà des massifs, l'aube était pourtant déjà aux aguets, prête à inonder les vallées de sa lumière laiteuse. Un peu de brume rampait en contrebas, s'évertuant à suivre les méandres du Giffre. On la devinait à son gris vaporeux, troué, par places, de larges accrocs plus sombres. Du Criou, on ne voyait rien d'autre que la masse imposante, avec ses pointes noires éperonnant le ciel bleu marine.

Brusquement, le père d'Adelin s'arrêta. Pour ne pas éveiller l'attention des gendarmes, il fit mine de remonter sa ceinture de flanelle puis reprit ses allers-retours, plus lentement. Tout en marchant, il fouillait la nuit du regard, la creusait, la pressait pour lui soutirer son secret. Vers le haut du Criou, il lui semblait apercevoir un halo jaunâtre, bien au-dessus de la Chaumette. Une simple lueur. Presque rien.

S'arrêter pour observer était risqué. Il avait beau faire semblant de trébucher, porter souvent les mains à ses reins pour voler quelques instants d'immobilité, cela ne suffisait pas. A chaque passage, il essayait de distinguer quelque chose.

Une fois le bas de la ferme inspecté, les deux gradés sortirent et se dirigèrent vers l'escalier de la grange. En les voyant monter les marches de bois, le père d'Adelin leur emboîta le pas.

Parvenu sur la galerie, il ouvrit la porte du soli en forçant du genou, s'effaça pour les laisser entrer puis se retourna. Le halo était toujours là.

« C'est quand même pas une lanterne oubliée l'aut' soir, se dit-il, on s'en serait aperçus. »

Appuyé des deux mains sur la rambarde, il parcourut du regard toute la pente, cherchant partout des détails pour se repérer. L'éboulement, la succession de vires, le grand couloir, ses yeux allaient de droite à gauche puis s'arrêtaient, repartaient, incapables de trouver une explication à cette lueur.

— On passe au bûcher maintenant, annonça l'adjudant.

Avant de poursuivre, il épousseta les pans de sa vareuse, le dos raide comme un sabre. Puis, d'une voix sans faiblesse, exigea :

— Passez-moi la clé.

— Quelle clé ? fit le père d'Adelin.

— Pour ouvrir...

— Y a qu'à tirer la porte.

— Notez, ordonna immédiatement l'adjudant à son subordonné : « A l'exception du bâtiment principal, aucune porte n'est fermée... même durant la nuit. »

— Et alors, qu'est-ce qu'y a de mal à ça ?

— Rien. C'est un constat, pas un reproche, fit l'autre, un peu sur le reculoir.

Le brigadier sortit son calepin et commença à noter avec une moue d'homme contrarié. Son visage s'était rembruni. Etait-ce l'ordre reçu ou de devoir écrire ainsi, debout dans la pénombre, qui l'énervait ? Bien malin qui aurait pu le dire.

L'instant de diversion passé, le père d'Adelin regarda une nouvelle fois vers la montagne. La lueur palpitait toujours. Alors, d'un geste vif, il sortit un morceau de ficelle de sa poche. Du pouce, il en maintint l'extrémité sur le bois du garde-corps, se pencha, pointa l'œil vers le halo et pinça les fibres jusqu'à les couper. Moins d'une seconde lui fut nécessaire pour enchaîner tous ces gestes. Ensuite, tout alla très vite. Personne ne le vit faire un nœud ni laisser négligemment tomber sa ficelle sur le plancher de la galerie.

Le jour levé, il n'aurait plus qu'à reprendre sa cordelette, pointer la mesure sur le versant et situer ainsi avec précision l'endroit d'où venait le halo.

Comme de juste, les gendarmes s'échinèrent à tout vérifier. Au bûcher, il fallut leur ouvrir une trappe donnant sur un ancien puits, les aider à déplacer des planches, des outils pour inspecter le sol et le plancher. Sous le mazot, deux d'entre eux durent se faufiler à plat ventre pour vérifier si une cache n'était pas ménagée entre l'assise de pierre et les madriers. La lueur de leur lumignon n'éclairait rien, les hommes durent travailler à l'aveuglette, soufflant fort contre la poussière et leur condition de subalterne.

Depuis plus d'une heure que durait la perquisition, le jour s'était peu à peu installé, gris d'abord puis de plus en plus blanc. Quand tout fut inspecté, l'adjudant s'approcha du père d'Adelin, resté à l'écart, et posa sur lui un regard froid.

— Tout est en règle, fit-il une pointe de regret dans la voix.

Il toussota, la main en godet devant la bouche, avant d'ajouter :

— Il va sans dire que si vous aviez des nouvelles de votre fils, je ne saurais trop vous conseiller de ne pas les garder pour vous.

Le père d'Adelin eut un haussement d'épaules. Puis il se décala légèrement pour ne pas rester dans la ligne de mire du Criou, des fois que l'autre se serait mis à inspecter le massif de ses yeux nacrés. Ayant rassemblé ce qu'il pouvait d'hypocrisie, il chercha quelques mots au fond de sa mémoire pour dire bien sûr, pour dire évidemment. Il ne put s'empêcher de se souvenir d'une phrase souvent entendue :

« Quand on te fait des mépris, dis-toi bien qu'un jour l'autre en paiera le prix. »

Léon Jorrioz eut du mal à se convaincre du départ des gendarmes. Dans ses oreilles, résonna longtemps le bruit des sabots sur la caillasse, puis, plus régulier, celui des roues bandées de fer de la calèche dans laquelle le maire avait pris place. Quand tout lui parut calme, il revint vers la courtine, s'assit sur son banc et détailla longuement la pente. Avec le jour, le halo s'était éteint.

Depuis son réveil, le père n'avait pour tous vêtements que son pantalon et son tricot de peau. Au col et aux manches, le tissu bâillait. Sur le ventre, il fronçait. Ses pieds nus étaient enfilés dans ses godillots, à même le cuir. Il n'avait pas froid, pourtant. Il se méfiait même de cette douce chaleur qu'il percevait au fond de lui. Plusieurs fois, il sentit venir sur ses lèvres la même phrase : « Et si Dieu l'avait voulu ainsi ? » Chaque fois, il eut le courage de la repousser, tant il lui semblait impossible qu'elle fût vraie.

Quand sa femme l'appela pour venir se réchauffer, sa résolution était prise, il ne parlerait de rien. A personne. Non qu'il se méfiât de sa femme, mais il se sentait responsable de cette lumière, de sa fragilité. En parler, c'était prendre le risque de l'éteindre et avec elle le fol espoir qu'elle représentait. Demain, plus tard, il verrait, si d'aventure le halo de lumière continuait à briller.

Il tourna sa soupe longtemps en larges cercles tous identiques. La buée lui montait au visage, lui voilait le regard. Lui ne voyait que le halo de la lampe se réfléchissant dans le bouillon chaud. Quand on frappa à la porte, il resta impassible, la tête ailleurs et la main en mouvement.

— V'là quelqu'un, chuchota sa femme.

— J'ai entendu, mentit le père, s'efforçant de reprendre pied au plus vite dans la réalité.

En se levant, il réajusta sa ceinture de flanelle, sans succès.

— Qu'est-ce que c'est encore ?

Quand la porte s'ouvrit, son visage s'éclaira.

— Adieu, Léon, dit le père de l'enfant malade, d'une petite voix éteinte. J'dérange pas, au moins ?

— Entre seulement.

Il salua d'un signe de tête et s'assit de biais sur le banc.

Il était vêtu différemment des autres fois. Plus légère, sa tenue semblait être taillée pour la marche. Une sorte de vareuse en peau fine, serrée à la ceinture, le protégeait de la pluie. Aux pieds, il portait des brodequins solidement lacés avec des semelles cloutées et de gros renforts sur le devant.

— J'ai même pas eu le temps de m'rabiffer, fit-il en voyant le père d'Adelin le détailler du coin de l'œil.

— Ma foi...

— J'rentre de cinq jours de périple dans le Valais. Quand j'ai vu les bleus monter vers chez toi, je me suis bien demandé ce qu'ils voulaient. Du coup, j'ai tout flanqué dans un fossé.

— Tu trafiques encore ?

— Plus guère, un peu de tabac, quelques bricoles à droite à gauche, ça fait toujours trois sous de mieux.

Il s'accouda pour demander :

— Qu'est-ce qu'y te voulaient donc, les bleus ?

— On t'a pas dit ?

— Dis quoi ?

— L'éboulement est parti et Adelin s'est fait prendre dessous.

Le père de l'enfant malade tangua du regard et du corps. Il se passa plusieurs fois la main sur les joues, à la recherche de quelque chose qu'il n'arrivait pas à exprimer. Sur son visage piqué d'une barbe de huit jours, les crevasses de ses doigts accrochaient.

— Foi de Dieu, murmura-t-il, le regard absent subitement.

Il hésita, leva les yeux à la recherche de mots à dire, puis demanda maladroitement :

— Y s'en est bien sorti au moins ?

Silence.

— C'est pas vrai...

— Si... et on n'a pas encore retrouvé son corps, dit le père d'Adelin, ça fait trois jours qu'on le cherche.

Il se rendit compte sur l'instant que l'image du halo était toujours en lui, mais il n'en dit mot. Comme s'il se fût agi d'un secret entre son fils et lui.

Jean Foron s'était levé. Il paraissait fragile, ainsi campé, une main sur la table, l'autre crispée sur sa hanche. Ses lèvres étaient soudées par un rictus nerveux. Plusieurs fois, il essaya de parler. Ses joues se gonflaient, mimant le découragement, puis se vidaient dans un soupir.

Il resta ainsi un bon moment à ne savoir que dire. Il balança plusieurs fois les bras comme un enfant désœuvré, roula des épaules et de la tête avant de se décider à parler :

— Ça s'est déjà vu d'en revenir vivant plusieurs jours après, tu sais. Sous la roche, y a des poches d'air qui se forment, plus elles sont grosses, plus t'as de chances d'en réchapper.

— Anselme dit la même chose.

— Vous avez sondé avec des barres à mine au moins ?

— Tu penses.

— En tapant dessus pour les faire résonner ?

— Bien sûr.

A mesure qu'il parlait, son visage reprenait vie. Les yeux d'abord, puis le front et les joues se réchauffèrent, bientôt suivis du corps tout entier, qui s'anima. L'énergie déployée à ne pas admettre l'évidence était surprenante chez cet homme petit, sans épaules ni buste. Un bout d'homme dont les nerfs s'enflammaient à la vitesse d'une mèche d'amadou.

— Bon Dieu de bon Dieu, un homme, ça se perd pas comme ça... Et les chiens, vous y avez pensé ?

— Quels chiens ?

— Les chiens de chasse, pardi.

Le père d'Adelin eut un haut-le-corps qu'il camoufla en haussement d'épaules.

— Pas que je sache.

— Misère, si c'est un braco qui doit vous y faire penser, c'est le monde à l'envers.

Le père d'Adelin était aux abois, tout brassé de l'intérieur. Rien pourtant sur son visage ne le trahissait. La même face osseuse et bistre, le nez carminé comme une feuille de vigne, les mains inertes. Il sentait en lui la fatigue, la peur et les nerfs se disputer ses forces. Il aurait aimé se réfugier dans son bûcher, devant son établi, prier, espérer et attendre la nuit pour vérifier si le halo de lumière réapparaissait. Mais chaque fois, il se sentait entraîné par l'énergie du petit homme. Repousser sa proposition pouvait sembler suspect, l'accepter risquait de tout compromettre d'un dessein qu'il ne connaissait pas.

— Trois jours après, c'est pas un peu tard pour faire venir les chiens ?

— Tu parles ! Je m'en suis vu des fois rester des quatre cinq jours avec des clebs aux trousses, terré dans un trou. Y leur en faut pour qu'ils lâchent les charognes. Ni le poivre ni la poudre à fusil ne les font reculer.

Le père d'Adelin sentit la situation lui échapper. Son répit n'avait été que de courte durée. Une heure ou deux durant lesquelles il s'était pris à espérer. Et seulement en pointillé. Et voilà que tout risquait de s'écrouler. Il imaginait les chiens dans l'éboulement, leurs jappements, leur truffe au ras du sol, cherchant la piste, flairant l'odeur de son fils, les autres guides, les gendarmes peut-être.

— Assieds-toi, dit-il, et prends-toi une assiette.

— Maintenant ?

— Oui. Chaque chose en son temps, et le malheur à son heure, lâcha le père d'Adelin, énigmatique.

16

Revenu dans sa grotte, Adelin s'endormit d'un coup. Ses heures de maraude lui avaient été profitables. D'un sac à grains empli de foin, il avait fait une paillasse. En s'y enfonçant, les brins s'ébouriffèrent comme dans la cabane des Chavonnes. Le visage de Bertille lui revint, avec ses joues vernies, ses yeux brillants et les plis d'amusement autour de ses lèvres, pareils à des parenthèses autour d'un mot.

Hormis la lanterne et les pièges à grive, les plus belles trouvailles provenaient de la ferme de Chavanod. Jadis une belle exploitation, orgueil de la famille. Mais, les années passant, le labeur devint trop dur. Un jour, les terres parurent trop grandes, trop pénibles à entretenir. Une à une, elles tombèrent en jachère. Les ronces et les orties s'enhardirent, les bosquets d'aulnes verts, ici appelés vérosses, gagnèrent sur les pâtures, colonisant sans combattre des terres pourtant durement conquises sur la forêt.

Parfois, le père Chavanod s'asseyait sur les marches de sa grange et regardait mourir ses terres, impuissant à lutter, meurtri de ne pas avoir eu d'enfant pour lui

succéder. Il parlait très peu, avec des mots longuement mûris. Durant toutes ces années de combat,
jamais un reproche ne fut adressé à Dieu ni aux
hommes. Seulement des soupirs, parfois, quand il
voyait des hommes jeunes partir aux champs, la faux
sur l'épaule, les manches retroussées. Alors ses yeux
s'assombrissaient, pareils à un ciel d'été avant l'orage.

Sa femme partit la première. Lui attendit une année
encore, laissant sa vie s'éteindre à petit feu. Il semblait
regarder sans cesse derrière lui, attendant quelqu'un,
guettant le moment. Ce fut à l'automne précédent.
Adelin l'apprit par une lettre de ses parents.

La ferme des Chavanod était l'une des dernières sur
le coteau. On y accédait par une levée de terre permettant aux attelages de monter leur chargement
jusqu'à l'entrée de la grange. Une simple clenche de
bois en barrait l'entrée. A l'intérieur, le foin dormait
dans un silence immobile, entassé jusque sous la poutraison.

En Champagne et dans la Somme, Adelin avait fré-
quemment cantonné dans des maisons abandonnées.
Souvent éventrées, borgnes ou à demi calcinées, elles
offraient un bout de toit pour s'abriter, se reposer
quelques jours, manger un peu parfois. On y entrait
comme chez soi, sans égard pour les quelques vestiges
d'un passé soudainement piétiné.

Ici, il en fut autrement. Adelin avança avec précaution, en se justifiant, en s'excusant. Derrière lui, il tira
la porte, la bloqua à l'aide d'une perche de bois. Pour
descendre dans les pièces à vivre, ce fut pareil. Il avait
beau se savoir seul, ses pieds se posaient de biais sur

les marches pour ne pas risquer de les faire grincer. En bas, régnait un froid lugubre.

Adelin alluma son briquet, posa son sac sur un banc et inspecta les lieux. Comme toujours lors d'un deuil, on avait arrêté l'horloge, déposé un voile noir sur le fronton, lavé le sol à grande eau. Voisins et amis avaient veillé le corps, quatre bougies allumées à chaque angle du lit, à tour de rôle. Tous avaient prié durant trois jours avant de remettre l'âme du défunt à la miséricorde de Dieu. Ensuite, le temps avait fait son œuvre et déposé partout son voile poussiéreux.

Pour les vaches, un voisin était sans doute venu, perpétuant ainsi la tradition du deuil. Après avoir débarrassé les bêtes de leur clarine, il les avait conduites dans sa propre écurie. A la montée en estive, elles retrouveraient leurs cloches.

Les abeilles non plus n'aimaient pas la mort. Lors d'un deuil, on apposait un crêpe noir sur les ruches du défunt. Celui qui se portait volontaire pour reprendre les essaims devait d'abord se faire accepter en tant que nouveau maître. Pour cela, il devait frapper de la main sur le toit des ruches et s'annoncer. Ensuite tout était dans le bourdonnement. Faible et inconstant, les abeilles le refusaient ; puissant et régulier, c'était le signe de leur acceptation.

Adelin se signa plusieurs fois, lentement. Ainsi fait, il se sentit moins coupable d'entrer dans une maison où il n'était pas invité. Autour de lui tout était inerte. Les premiers objets à attirer son attention furent une cafetière laissée sur le fourneau, un réchaud à esprit-de-vin, quelques couverts abandonnés sur la pierre

197

d'évier. Il les toucha, s'excusa de devoir les voler, expliqua avec des mots simples comme il l'eût fait à un enfant.

Puis vint le tour des vêtements. Là encore, Adelin hésita. Il connaissait la coutume de la revêtire, pratiquée jadis dans certains villages. Elle consistait à offrir les habits du mort à celui qui s'était chargé de l'habiller.

Adelin se souvenait du père Chavanod comme d'un homme large d'épaules et court de bras. L'armoire à deux portes était garnie de piles de linge sur l'un des côtés et d'une tringle sur l'autre, où étaient suspendus les vêtements lourds. La veste qu'Adelin essaya était à sa taille, sauf les manches. Il enfila aussi une sorte de manteau de cuir fermé par des brandebourgs en corne. Les chaussures, les guêtres, les gants en peau de chèvre firent l'objet d'un tri rapide. D'un côté, ce qu'il fallait emporter, de l'autre ce qui pouvait attendre.

Dans les jours qui suivirent, Adelin revint chaque nuit à la ferme des Chavanod. Deux sacs à farine lui servaient de besace. Une fois remplis, ils les attachait à l'aide d'un morceau de corde et les portait ainsi sur son épaule, l'un devant, l'autre derrière, à la manière des marchands de peaux de lapin.

En forêt, Adelin se sentait protégé. Il s'habitua vite aux bruits de la nuit, à son silence tendu, aux battements d'ailes des nocturnes. De jour en jour, il lui semblait que ses sens s'affûtaient, que son corps s'adaptait à cette vie qui n'en était pourtant pas une.

Une nuit qu'il se trouvait aux abords de la maison de l'enfant malade, il se souvint de la cave creusée dans la butte. Par la porte entrouverte, il avait aperçu, la première fois, des bouteilles, des fiasques aux ventres paillés, des peaux tendues sur des planches, tout un capharnaüm d'objets entassés n'importe comment.

Il observa longtemps à couvert, tapi sous les branches de sapin. On les aurait crues trempées dans l'encre de la nuit tellement elles étaient noires, ces branches, bruissant à chaque mouvement de vent.

Adelin sortit du bois, son sac sous le bras. Ses sens étaient à vif, son cœur battait à doubles coups. Parvenu à l'aplomb de la cave, il s'aplatit au sol pour écouter. La nuit était sans bruit, seul le murmure de l'eau la faisait frissonner. Au loin on devinait le chant et le contre-chant d'une source au débit irrégulier.

Il se laissa glisser le long du talus. La porte était entrebâillée. A l'intérieur, une forte odeur de terre battue se mêlait à des effluves sucrés. Des fruits sans doute étalés sur des claies de branchages. Plus loin, le goût piquant du vieux vin, provenant de bouteilles mal lavées. Adelin avançait en aveugle, les mains tendues devant lui pour tâter la nuit. Des doigts, il tapotait, caressait, enveloppait chaque objet avant de mettre un nom dessus.

Beaucoup de bouteilles, la plupart vides, des amas de peaux, douces au toucher, fortes à l'odeur, une barrique renforcée de cercles de fer où était conservée la chèvre, cette boisson fermentée qui faisait parfois exploser les tonneaux. Rien apparemment qui pût intéresser Adelin.

En ressortant à reculons, il heurta une sorte de planchette de bois. En tâtonnant, il reconnut un couteau à lame fine équipé d'un manche incurvé ; à côté, un cube rugueux et crevassé. Avec beaucoup de précautions, Adelin chercha son briquet et battit la molette en protégeant la flamme entre ses mains.

Sur la planchette de bois était étalé un nécessaire à toilette : savon, rasoir et blaireau. Un peu plus loin, des cordelettes torsadées identiques à celles qu'il utilisait pour poser ses collets. Le long du mur, une paire de brodequins de braconnier qu'on reconnaissait à leurs semelles inversées, talon devant et pointe derrière. Ainsi dans la boue ou dans la neige, bien malin qui pouvait dire dans quel sens allait celui qui les portait. Adelin sourit. Le visage de Jean Foron lui revint en mémoire. Il revit sa mine plombée le jour de leur rencontre, ses yeux refusant l'évidence, ses mains prêtes à tout pour retenir la vie qu'on voulait lui voler.

Il avait beau se demander pourquoi ces objets étaient là, il n'en trouvait pas la raison. L'imminence d'un départ ? Un surplus de marchandises de contrebande ? Une instance de livraison ? Avec la flamme de son briquet, il inspecta les abords de la tablette. Au mur étaient suspendus des grèpes, sortes de crampons à trois dents servant à la fois à marcher sur la glace et à ne pas glisser dans la boue. Les forestiers les utilisaient aussi, parfois, pour ne pas déraper sur les troncs au moment de l'écorçage. Et puis, à côté, un long fer muni de piques torsadées. On eût dit un tire-bouchon à deux pointes. Adelin reconnut le tire-bourre des braconniers, l'outil dont ils se servaient pour déterrer les marmottes endormies durant l'hiver.

Depuis plus d'un quart d'heure qu'il était là à fouiner

dans la cave, Adelin ne parvenait pas à se décider : prendre quelque chose ou tout laisser. Le rasoir, il en avait besoin, le savon aussi. Les cordelettes pouvaient attendre, de même le tire-bourre, dont il ne savait pas se servir.

« Plus tard, on verra », songea-t-il en s'emparant du rasoir et du bloc de savon.

D'ordinaire, ces maraudes lui occupaient l'esprit au point de ne plus avoir de temps pour autre chose. Ses gestes étaient ceux d'un chasseur, instinctifs, mesurés, retenus à la moindre alerte. Il s'arrêtait souvent pour écouter, humer l'air, cherchant à repérer les filoches de fumée, l'odeur du crottin ou celle des vaches, toutes choses trahissant la présence des hommes. Cette fois, il s'attarda. Il ne se sentait pas en danger. Au contraire, en prenant ces objets, il lui semblait renouer les fils d'une vie qui partait en lambeaux.

Depuis longtemps, il n'était pas revenu à la ferme de ses parents. Son odeur lui manquait, le bachal aussi, où il eut envie de se laver comme avant, torse nu et cheveux ébouriffés.

Le temps était clair, la lune au croissant. Le chemin montait droit dans la nuit puis se mettait à serpenter sur le penchant du coteau. Tout au long, Adelin écouta résonner ses pas. Un bruit à deux temps qui ne dépassait pas les bords du talus. A longues enjambées, il franchit à couvert un bois d'ormeaux puis coupa par le chemin de traverse. Les ornières étaient profondes, signe que des chariots ou des fardiers de débardage y étaient passés depuis peu. Les derniers mètres furent parcourus en lisière de bois. Au-delà, on devinait la ferme posée sur son assise de pierres.

Il s'arrêta pour écouter. Rien d'inhabituel, à part le grincement d'un tronc en appui sur une branche. Adelin retint sa respiration. C'est là qu'il crut entendre une sorte de murmure. Un chuintement qui n'était ni son, ni mot. L'eau de la source était trop loin pour en être la cause, le grondement des eaux du Clévieux incapable de parvenir jusque-là.

Les sens en éveil, il s'approcha. A chaque pas, il s'efforçait d'en étouffer le bruit, marchant dans l'herbe ou sur la terre meuble. Plusieurs fois, il s'accroupit pour écarter des branches mortes.

Brusquement sa main s'immobilisa, ses jambes flé- chirent, suivies du corps, qui se laissa glisser sous les feuillages. Devant lui, venait d'apparaître un point rouge, furtif.

Une simple respiration.

Il avait appris, au front, à repérer les cigarettes. A quelques variantes près, tous les hommes fumaient de la même manière. Quand ils ne se sentaient pas observés, le bout incandescent flamboyait, à intervalles réguliers.

De nouveau, le rouge s'alluma. En tendant l'oreille, Adelin discerna des voix, lointaines mais perceptibles tout de même. Il en compta deux. Pour la troisième, il n'était pas sûr.

Il resta un moment, le tympan sensible comme une peau de tambour, détaillant les sons un à un. Comme le revers du talus faisait écran, certains ne parvenaient pas jusqu'à lui, ou en s'effilochant. Adelin décida de battre en retraite. Il repensa aux souliers des braconniers, à leur utilité en pareil cas, à l'ingéniosité des anciens quand ils avaient su faire face à l'adversité, à une époque où les terres de Savoie n'étaient pas encore entrées dans la République.

Tant qu'Adelin demeurait à couvert, il était peu probable qu'on le repérât. Restaient ses empreintes. Qu'un bris de branche, une glissade ou une chute de pierres vînt à se produire et elles deviendraient autant d'indices pour la gendarmerie. Avec d'infinies précautions, il rampa dans l'herbe mouillée. Chaque fois qu'une ronce ou une branche s'accrochait à ses habits, il la détachait ou l'écartait de la main.

Parvenu sur le chemin, il s'arrêta. Sa respiration était régulière, seul son cœur battait à cloche-pied. Dans sa bouche, un goût de fiel ; dans sa tête, le vide. Un vide qu'il avait appris à faire durant des mois : ne pas penser, ne rien ressentir. Il lui fallut peu de temps pour s'éloigner puis remonter par le champ en contrebas de la ferme, où l'herbe à faucher cousinait avec les viornes. En imaginant l'état de ses terres, il eut un pincement de ventre comme on en ressent par dépit ou jalousie.

Sitôt passé la gouille par où s'écoulait le trop-plein d'eau de la source, il posa son sac, boutonna sa veste pour masquer le clair de sa chemise et se coucha au sol. Le murmure de l'eau couvrait tous les bruits. Il rampa sur les coudes jusqu'à une éminence de terre. De là, on entendait des voix à peine effacées, par instants, par les éclaboussures de l'eau. Un mètre encore pour mieux voir, un autre pour mieux entendre. En levant les yeux, il les découvrit à dix mètres de lui, assis sur des coins de rocher, leur képi sur la tête.

— Encore une nuit pour rien, se plaignait une voix nasillarde, et pour quoi, hein ? Pour un gazier qu'est peut-être sous quinze mètres de roche.

— Ça, mon gars, c'est pas à toi d'en décider.

— Le chef, lui, y a longtemps qu'il aurait abandonné, mais l'adjudant Berthier s'est mis dans la tête que l'autre n'était pas mort, maintenant y veut plus en démordre.

— Y a pas de preuve, c'est c'qui les emmerde.

— Et son piolet ?

— C'en est pas une, même l'adjudant l'a dit.

Adelin était immobile. Pas un muscle de son corps ne bougeait. Il n'en voulait pas à ces hommes, pas plus qu'à l'adjudant, qu'il ne connaissait pas. Leur existence était dans un monde, la sienne avait basculé dans un autre.

Entre deux phrases, la cigarette passait de main en main. Adelin s'en était douté tout à l'heure, en voyant le point rouge dessiner des arcs de cercle. Sur les six gendarmes que comptait la brigade, des tours de garde avaient dû être organisés en différents endroits. De tête, Adelin les lista au plus vite. Chez lui bien sûr, chez ses cousins du Mont, peut-être aussi au chalet d'alpage occupé par Bertille et ses sœurs. Il eut un serrement de cœur. Quelque chose d'inconnu où la peur d'être mal jugé avait sa place. Le sentiment d'avoir trahi s'y mêlait aussi, diffus au début, puis de plus en plus présent au fil des jours. Une conscience muette et distante, qui semblait le juger en silence.

La cigarette terminée, la conversation s'anima. Les mots n'avaient plus le feutré du début. Les hommes parlaient toujours à voix basse, mais, voulant y mettre force et conviction, se laissaient parfois emporter :

— Pour un gars comme lui, c'est facile, y va de grange en grange, jamais deux soirs au même endroit. Une rapine ici, un coup de main par là, y peut tenir des mois... des années même.

— C'est pas une vie, se navra la voix nasillarde. Plus d'avenir, plus rien. Un jour ou l'autre, il se fera colleter et là ce sera le bagne à coup sûr.

— T'inquiète pas pour lui, y en a qui savent se débrouiller.

— Je m'inquiète pas, je réfléchis.

La même voix poursuivit sur un ton de plus en plus animé :

— Je sais de quoi je parle, j'étais dans les Hautes-Alpes précédemment, dans la région de Briançon.

— Et alors ?

— Alors... là-bas aussi y a eu des insoumis, et dès le début de la guerre. Dans les premiers jours de mobilisation, on m'a raconté.

— Ah bon...

— Tiens, à Freissinières, par exemple, un hameau pas plus grand qu'ici, parmi les soixante mobilisés, y en a deux qui se sont carapatés sans que personne sache comment. Deux frères.

— Comment ça ?

— On les a vus en gare de La Roche-de-Rame avec tous les autres, prêts à rejoindre leur casernement, et puis plus rien.

— Disparus ?

— On a planqué partout autour de chez eux, dans les fermes, les granges, même sous les ponts des fois qu'ils viennent s'y réfugier. On a essayé les chiens, on a fait pression sur la population. Rien. Dans les chalets d'alpage, pareil. Rien, nulle part. Y sont rusés, ces gars-là, j'peux te le dire et, pour ce qui est de vivre en montagne, ils en connaissent un rayon.

— Ça, on peut pas leur enlever.

— Pluie ou neige, ils savent s'y prendre.

— Trois ans, c'est quand même long, chuinta l'homme à la voix nasillarde sans doute en hochant la tête comme il devait avoir l'habitude de le faire.

— Et le pire, c'est qu'y a jamais un quidam pour parler, muets comme des morts.

— Des montagnards...

— Des rocs, tu veux dire. Y te disent non devant, en pensant oui derrière.

Adelin ne bougeait pas. Il ignorait tout des histoires racontées par les gendarmes. Jamais elles n'étaient arrivées jusqu'au front. Et, quand bien même y fussent-elles parvenues, personne ne s'en serait soucié. Adelin connaissait les conseils de guerre, les condamnations pour l'exemple, le cas d'un sergent-chef qui virait fou sitôt le parapet franchi et tirait sur tous ceux qui se couchaient ou se protégeaient, y compris les cadavres. On l'appelait « Poulet ». Un sobriquet qu'il devait au fait d'accuser sans cesse les autres d'être affublés de testicules de coq. Chaque fois qu'il injuriait quelqu'un, sa main se portait sur son entrejambe, qu'il avait résolument plat et vide.

206

La conversation s'était calmée. Dans le bleu grisé du matin, les trois hommes s'étaient enveloppés de pèlerines qu'ils ramenaient souvent sur leurs épaules. Deux d'entre eux étaient grands et fins, ça se voyait à leurs dos, mieux pourvus en os qu'en muscles. Le troisième était plus large de poitrail, avec des épaules rondes et tombantes. Adelin lui faisait face. De ses traits, il ne distinguait rien, à part la hauteur de son front qui s'enduisait de brillant par instants. Il prit la parole d'une voix insinuante :

— N'empêche qu'ici, y en a quand même un qu'est prêt à parler.

Adelin eut un hoquet.

— Méfie-toi des fausses pistes. Des gars qui se sont fait rouler à ce jeu-là, j'en connais plus d'un.

— Après quinze ans de gendarmerie, ça me guette pas.

— Que tu crois...

Adelin essaya de déglutir. Aux tempes, le sang cognait. Dans les jugulaires, c'était pire encore, de véritables coups de bélier. Il lui sembla aussi qu'à l'endroit de sa blessure, les pulsations étaient plus vives, comme pendant les soins, au plus fort des douleurs.

— Dis-toi bien que c'est pas avec des rumeurs qu'on fait une enquête, argumenta la voix nasillarde, sans doute la plus élevée en grade, à en croire sa façon de toujours ramener les choses au règlement.

— C'est à voir, parce que celui-là, il est motivé pour parler, c'est moi qui te le dis.

— Ils sont tous pareils et, au dernier moment, y a plus personne.

— Lui ? Ça m'étonnerait…

La phrase s'interrompit, lourde de mots qu'on imaginait noirs et épineux. Adelin laissait l'air entrer en lui à grandes goulées rapides et silencieuses.

— Et pourquoi ça t'étonnerait ?

— Parce qu'ils ont un compte à régler, tous les deux. L'autre lui a flanqué une branchée y a quelque temps. Ça s'est fini avec quatre doigts écrasés à coups de tabouret.

— A coups de tabouret ?

— Comme je te le dis, asséna l'autre d'une voix triomphante. Ça s'est passé au début du mois, au café de Lucienne, mais personne l'a su.

— Et c'était à propos de quoi, cette bagarre ?

— A ce qu'il dit, Jorrioz aurait serré la patronne d'un peu trop près, le soir de son retour. L'autre les aurait surpris et ça aurait mal tourné.

Adelin enfonça ses doigts et ses lèvres dans la terre. La trogne du rougeaud était là, à le dévisager. Il demeura un instant à ne voir que lui. Quand il rouvrit les yeux, il avait les mains et le visage maculés. Mais aucun cri ni aucun geste ne l'avait trahi.

17

L'automne arriva bien avant l'heure cette année-là. Dès septembre, le temps se mit à la pluie avec une insistance têtue. De rares trouées de soleil permettaient tout juste aux hommes de se sécher en guettant la prochaine averse. Les vallées étaient inondées de nuages, lourds comme des édredons, qui enveloppaient tout, les formes et les sons, les couleurs et les odeurs. Ruisselante, stagnante ou vaporeuse, l'eau était partout.

Malgré le drame, la vie avait repris son cours avec cette incroyable volonté qui donnait aux hommes la force de garder le dos droit. Aux premiers temps, les visites s'étaient faites nombreuses à la ferme des Jorrioz. Plusieurs fois, le père Evrard était monté avec sa petite bible serrée contre son cœur, manière très personnelle d'être au plus près de Dieu. S'agissant de l'éboulement, il commença par refuser de bénir l'endroit où avait été retrouvé le piolet. Devant l'insistance des voisins, et le regard fané des parents, il finit par se laisser convaincre.

Pour le conduire jusqu'à l'éboulement, il fallut

plusieurs hommes valides. Son âge, son poids et ses pieds déformés par la podagre l'affligeaient d'une démarche claudicante. Les guides le portèrent assis sur une chaise, le parapluie sous un bras, la bible en main. Puis, une fois sur place, ils trouvèrent plus commode de le soutenir sous les aisselles, à l'aide de longs bâtons de marche appelés alpenstocks, utilisés jadis pour les ascensions sur les glaciers.

La cérémonie fut rapidement expédiée. Le père Evrard bénit à contrecœur ces rochers dont rien n'indiquait qu'ils fussent une pierre tombale. Il fit pourtant son devoir d'homme d'Eglise dans les règles, soucieux de la paix des âmes et du bonheur de ses fidèles.

Plusieurs fois durant la cérémonie, la mère d'Adelin se tourna vers son mari. Elle l'observait à la dérobée depuis quelque temps. Il lui semblait que de jour en jour son chagrin se dissolvait après ses longues sorties dans les éboulements. C'étaient de petits signes. Des yeux plus vifs, des traits moins durs, des mouvements d'humeur où l'impatience et la raillerie reprenaient le pas sur la tristesse. Des choses qu'un homme laisse passer mais qu'une femme décèle aisément.

Les guides, eux, n'en démordaient pas. Selon eux, un trou s'était formé quelque part sous les rochers. Restait à le localiser. Pour fouiller, ils s'étaient organisés en brigades de six hommes et sondaient inlassablement les éboulis. A coups de masse, ils enfonçaient des barres à mine tous les vingt ou trente mètres, puis tapaient dessus à coups espacés pour faire résonner le métal. Des heures durant, ils écoutaient, à tour de rôle. Au moindre doute, l'un d'eux se couchait au sol, l'oreille plaquée contre la pierre. Cela pouvait durer plusieurs minutes durant lesquelles, à part les coups de marteau, pas un bruit n'était autorisé. Il y avait dans cette manière de faire beaucoup de bonne volonté mais bien peu de savoir. Tout reposait en fait sur les indications d'un des hommes, ancien mineur, qui avait expliqué comment on s'y prenait dans les mines pour venir en aide aux emmurés. Avec la pluie et les ravines, tous étaient convaincus qu'à un moment ou à un autre la montagne allait rendre un objet. Peut-être le corps lui-même.

Septembre tirait à sa fin quand le bruit courut que l'on avait trouvé quelque chose dans l'éboulement. La rumeur partit un mercredi matin, jour de marché, de la place du Gros-Tilleul. Personne ne savait, au juste, de quoi il s'agissait, mais beaucoup racontaient, expliquaient ou prenaient des airs entendus pour laisser supposer qu'ils en savaient plus qu'ils ne pouvaient en dire. Comme de juste, la rumeur finit par remonter aux oreilles de la gendarmerie.

Deux jours plus tard, le brigadier, accompagné de deux hommes à cheval, se rendit un matin sur les lieux de l'éboulement. Anselme les accueillit avec distance :

— Des racontars, je vous dis, vous pensez bien que si on avait trouvé quelque chose, on serait pas là à chercher comme des ânes.

— C'est pas ce qu'on dit en ville.

— Ce qu'on dit et rien, c'est pareil, asséna Anselme en reniflant pour évacuer la sueur qui lui gouttait du front. La vérité, elle est là-dessous mais encore faut-il mettre la main dessus.

Anselme se redressa, les mains sur les reins, visiblement accablé par les centaines d'heures passées dans la pierraille. Son corps s'était asséché. Sa peau, craquelée au visage et aux mains, ressemblait à une vieille croûte de terre comme on en voit au fond des mares. Ses yeux restaient les mêmes, rapides et fouineurs. Seulement cette fois, ils avaient perdu de leur assurance. Leur ligne de mire les ramenait plus souvent au sol que vers les sommets.

— J'en ai vu, des éboulements, mais un comme ça, jamais, reprit le vieux guide. Par places, y a des huit dix mètres de roches, avec des trous en dessous, c'est là que doit être le corps.

— Ça reste à prouver.

— C'est sûr, renifla Anselme. Ça peut pas être autrement. Regardez vous-même, expliqua-t-il en redessinant de la main la trajectoire de l'éboulement, là y a la pente, là-haut le dégueuloir et là le gros des rochers. De deux choses l'une, soit le corps a été roulé jusqu'en bas et dans ce cas y a belle lurette qu'on aurait dû le retrouver. Soit il est coincé dans une poche et alors là, pour le retrouver...

Il balança le bras par-dessus son épaule :

— Des années, qu'il va falloir.

— Tant que ça...

Un coup de menton, une moue traduisant le doute, et Anselme corrigea :

— Et encore, si on le retrouve.

Le brigadier laissa s'installer le silence entre Anselme et lui, chacun poursuivant sa réflexion à sa manière. L'un calculant les mois de travail, l'autre les chances d'avoir pu échapper à l'éboulement.

— Tout de même, fit le brigadier après avoir hésité quelques instants, faut que je dresse un procès-verbal.

Il sortit un calepin de sa poche, ôta le lacet de cuir qui tenait les pages fermées et interrogea :

— Y a qui au juste avec vous ce matin ?

Anselme énuméra les prénoms et les surnoms.

— Epelez-moi les noms aussi, qu'il y ait pas de fautes.

Après un temps passé à prendre ses notes, le brigadier rangea son carnet tout en demandant d'un ton faussement administratif :

— Et Patte Molle, c'est qui ?

— Patte Molle, c'est Jean Foron, un ancien braco.

— Pourquoi ce surnom ?

— C'est les Suisses qui l'appellent comme ça. Ça remonte à l'époque où il passait toutes les nuits sous le nez des gabelous avec des ballots de marchandises. Y en a jamais eu un pour le cravater.

— Il vient avec vous, des fois ?

— Pas souvent, il a ses affaires et six gosses à nourrir.

— Et ces derniers jours, vous l'avez vu ? s'informa le brigadier, faisant mine de s'éloigner, comme si sa question avait été de petite importance.

— Ma foi, je pourrais pas vous dire, fit Anselme, méfiant tout d'un coup. J'suis pas là à surveiller, pensez bien que j'ai d'autres choses à faire.

Les pluies incessantes amenèrent l'automne plus tôt qu'à l'ordinaire. Très vite les feuilles virèrent au brun, renonçant sans combattre aux tons cuivrés des fins d'été. Les marronniers rendirent les armes les premiers, suivis des autres feuillus qui se dépouillèrent par étages, sous le regard altier et noir des épicéas. Seuls de tous les conifères à perdre leurs aiguilles, les mélèzes se couvrirent eux aussi en quelques jours d'un brouillard ocre annonçant les premières gelées. La sève commençait à refluer, la terre à se refroidir. Au matin, les champs s'éveillaient parfois voilés de mantilles blanches qui craquaient sous les pas. Ce n'était plus qu'une question de jours avant les premiers froids. Au mieux, une semaine ou deux.

Tout cela, Adelin le voyait de loin ou le découvrait dans les pâleurs de l'aube. Depuis l'épisode des gendarmes, il avait pris l'habitude de ne sortir qu'au plus noir de la nuit. A chaque nouvelle lune, il gravait au couteau l'envers d'un morceau d'écorce. Un à un, les jours s'alignaient. Simple trait pour les nuits calmes, une croix quand il avait repéré une présence ou des bruits suspects.

A mesure que les semaines s'écoulaient, il lui semblait que les gendarmes espaçaient leurs rondes comme s'il avait été désormais acquis qu'il avait réellement disparu.

Par deux fois, il se rendit encore chez le père de l'enfant malade. Son itinéraire variait sans cesse. Contrairement au premier jour, il se méfiait désormais de la forêt, de son noir impénétrable, et plus encore de la longue pâture qu'il fallait traverser pour parvenir à la cave.

Après plusieurs tentatives, il préféra monter par le chemin et s'arrêter le long d'un enrochement. Là, blotti contre les pierres, il épiait, écoutait, reniflait l'air avant de se décider.

Plié en deux, il avançait alors à pas glissants, imaginant toujours un moyen de se replier. Autour de ses brodequins, il enroulait des lanières de cuir pour étouffer le bruit des clous, veillait à ne s'habiller que de sombre, préférait les vêtements serrés à ceux portant ceinture ou martingale.

La première fois, il trouva étalés au même endroit sur la tablette des paquets de tabac, une pipe, un miroir, des bougies et des sous-vêtements à sa taille. Il y avait aussi un petit ballot de peaux de lapin tout ficelé, prêt à être porté sur le dos à l'aide de bretelles tressées avec de la cordelette.

La présence de ces objets l'intriguait. Le hasard n'expliquait pas tout. Les collets de fil de fer, les peaux de lapin, les chaussures de braconnier pouvaient à la rigueur se justifier dans cet encombrement de choses inutiles. Mais rien n'expliquait la présence du rasoir, du savon et moins encore des sous-vêtements.

Adelin y réfléchit longtemps, flairant un piège, imaginant une manœuvre. Il avait peine à imaginer Jean Foron de mèche avec les gendarmes, même pour de l'argent, même sous la contrainte d'une menace de procès pour l'une quelconque de ses rapines.

Jour après jour, grandit en lui l'idée qu'il avait pu laisser des traces, se faire repérer une nuit par le braconnier. Sans rien dire, celui-ci lui venait en aide, en faisant mine de ne rien savoir, de ne rien voir. L'idée de laisser un mot ou un indice l'effleura pendant un temps. Mais le risque d'être découvert et d'entraîner le braconnier dans la débâcle l'en dissuada.

Adelin revint encore une fois à la cave, c'était vers la mi-octobre. La nuit était entre deux lunes, d'un noir limé qui laissait entrevoir de longues nioles de nuages stagnant sur les massifs. Il avait beaucoup plu les jours précédents. Sous le couvert des arbres, de lourdes gouttes tombaient encore en rebondissant sur les branches. Pour s'en protéger, Adelin marchait au milieu des chemins, là où les ravines étaient moins profondes. Le film vaporeux qui se dégageait de ses vêtements et qui, d'ordinaire, le tenait à l'abri du froid était insuffisant cette nuit-là. Malgré la marche et les efforts, il frissonnait. Imperceptiblement au début. Puis, il se surprit à trembler par instants sous sa chemise pourtant épaisse.

Dans la cave, il ne s'attarda pas. Son sac à dos fut vite rempli, au hasard, de fruits et de légumes. Il rafla aussi sur la tablette des aiguilles et du fil, plusieurs poignées d'allumettes, des mèches de lampe. Il ne se sentait pas comme à son habitude. Ses gestes étaient lents, son attention moins vive. Il avait beau se faire violence, une torpeur l'engourdissait peu à peu. L'envie de dormir, de s'arrêter, de renoncer.

La remontée des éboulis fut longue. Beaucoup plus pénible qu'à l'ordinaire. Même en marchant à pas comptés, son cœur ne parvenait pas à retrouver son rythme. Plusieurs fois, il s'assit sur des culs de rocher pour reprendre haleine. Son front luisait d'une sueur glacée. Son corps était à la peine, parcouru par

instants de vagues de frissons. En portant trois doigts
à la jointure de son poignet, Adelin écouta son cœur,
pareil à ces médecins qu'il avait vus faire, l'air savant
et les sourcils froncés. Son pouls battait la breloque,
rapide puis lent, comme fatigué d'en avoir trop fait.

« Un coup de froid, pensa tout de suite Adelin, c'est
rien, une histoire d'un jour ou deux. »

Le mauvais temps de ces derniers jours n'avait cessé
de rabattre vers sa grotte des nuages chargés de pluie.
Ils s'affalaient sans bruit comme des voiles trop lourdes,
s'effilochaient, se déchiraient et s'envolaient en lambeaux après s'être libérés de leur eau. Sur plusieurs
mètres à l'intérieur, la roche ruisselait. Il avait beau
tendre des sacs de chanvre pour faire barrage, le vent
entrait quand même avec son haleine glacée, plus
pénétrante que la pluie elle-même.

Parvenu en haut de l'éboulement, Adelin ne se
sentit pas la force de passer le ressaut, son sac sur les
épaules. Sa tête baguenaudait sous son chapeau trempé
de bruine, ses yeux tanguaient, sa bouche cherchait
l'air.

Quand il sentit ses mâchoires trembler, il eut un
sursaut de lucidité. A genoux, il dégagea des rochers
puis creusa un trou suffisant pour y enfouir son sac.
Dessus, il posa des pierres plates puis poussa des
rochers à la force des pieds. Il ne pleuvait pas à cet
instant, Adelin en était persuadé. Pourtant son corps
était trempé, vêtements compris, d'une sueur abon-
dante et forte.

Pendant quelques dizaines de mètres encore, il
marcha à l'estime, s'arrêtant souvent au prétexte de

reprendre son souffle, en fait parce que ses jambes ne le portaient plus.

Son visage avait la raideur du cuir. Ses traits étaient creusés. Plusieurs fois, il leva les yeux vers la paroi avec cette farouche détermination dont seuls sont capables ceux dont la vie est en péril.

« Cinquante mètres à monter et après je pourrai dormir. »

Il repensa à sa paillasse de foin isolée du froid par plusieurs épaisseurs de peaux de bêtes. A l'eau qu'il pourrait boire. Au breuvage chaud qu'il pourrait se préparer. En prévision des mauvais jours, il avait plusieurs fois cueilli des plantes dont il connaissait les effets contre les coups de froid : de la germandrée ramassée le long des talus, du tussilage contre la toux, quelques pensées éperonnées cueillies dans les alpages, et de la reine-des-prés, bonne pour tout, la fièvre en particulier. Là-haut, il pourrait se réchauffer, là-haut il pourrait dormir.

En empoignant la corde, dont il se servait pour remonter, il eut un mauvais pressentiment. Il était dans une gare inconnue. L'une de ces villes de l'Est où il avait peut-être caserné. Autour de lui, du bruit, de l'agitation, du monde en uniforme et en civil. On se bousculait pour monter dans un train qui n'était pourtant pas encore à quai. Une infirmière attendait avec un landau d'enfant. Il l'appela, s'approcha d'elle, la saisit par le bras pour attirer son attention. Immobile et blanche, elle ne le regarda même pas. A un moment, il se sentit soulevé du sol par la foule qui piétinait, de plus en plus nerveuse. Il s'éleva de deux bons mètres au-dessus des têtes coiffées de bérets, de feutres, de képis, de bibis ou de chapeaux à la mode. C'est là qu'il vit l'intérieur du landau, où étaient entassés les uns contre les autres des dizaines d'obus dont les têtes étaient coiffées de bonnets blancs.

Adelin transpirait de plus en plus. Il avait beau vouloir sortir de la gare, fuir son ambiance surchauffée, son corps s'y refusait et restait stationnaire, pareil à un dirigeable en observation. En dessous, la foule s'énervait, s'invectivait pour une place ou un rang, se bousculait. Les mots étaient à la chamaille, les gestes à l'impatience. En tendant le cou, Adelin découvrit qui était à l'origine de ce charivari.

Le sergent-chef Poulet, assis sur le toit de la locomotive, ordonnait à une grappe d'hommes de tirer pour faire avancer la machine. Sur chaque côté du quai, des soldats aux mines de forçats s'échinaient, le corps ployé, les paumes soudées sur une corde qui leur brûlait les doigts. Poulet tenait un fouet entre ses jambes écartées, dont il se servait à la manière d'un dompteur. A chaque claquement, il faisait mouche. Sur l'échine, la nuque, la tête. Aussitôt, l'homme s'affalait, touché à mort, tout de suite remplacé par un autre. Adelin baissa la tête pour ne pas être reconnu.

Il sut pourtant que c'était trop tard. Poulet était debout sur le toit de la locomotive, criant et vitupérant comme à son habitude. Dans le vacarme du hall, on n'entendait rien, seulement des vagues sonores qui emportaient ses mots au loin. Il enfila deux doigts entre ses lèvres et siffla. Un coup suffit. Tout le monde se tut.

— Jorrioz, ici. Toi qui t'y connais en cordes... à la manœuvre, ça t'apprendra à déserter.

Adelin s'exécuta sans mot dire.

En empoignant la corde, il s'aperçut que les autres s'étaient enfuis, abandonnant leur poste comme lui-même l'avait fait en ne retournant pas au front. Tirer sur la corde jusqu'à s'en rompre les muscles était son seul espoir.

Cela dura un temps infini. Adelin s'y reprenait sans cesse pour mieux saisir sa corde, l'enroulant autour de ses mains, de ses poignets, partout où il pouvait. Ses paumes transpiraient, glissaient, brûlaient, ses articulations lui faisaient mal à crier. Il aurait aimé savoir si la locomotive avançait vraiment, mais n'osait regarder, de peur de voir Poulet, son rictus et son fouet.

A bout de souffle, à bout de forces, Adelin s'affala sur le quai. La pierre était fraîche et humide, sans doute en raison des milliers de pas qui l'avaient foulée. Il posa sa joue à terre et attendit le coup de fouet.

Bien plus tard, Adelin se réveilla couvert de sueur et de tremblements. Recroquevillé, enfoui jusqu'aux épaules dans le foin de sa paillasse, il respira à grands traits. Il se souvint de bribes de rêve, de mauvaises images qui lui donnaient la nausée. En portant la main à son front, il se découvrit brûlant. La fièvre avait gagné en quelques heures bien plus vite qu'il ne s'y attendait. Les signes, il les connaissait par cœur. Dans les jours qui avaient suivi son opération, il s'était déjà trouvé englué dans cette même torpeur, à mi-chemin entre veille et sommeil. Pour calmer ses douleurs, on lui faisait boire des doses de laudanum. Des fois, on l'épongeait, on changeait ses draps quand l'odeur était fétide et son matelas trempé.

Dans l'épaisseur embrumée de la salle commune, il percevait les conversations. Derrière leurs besicles et leurs blouses blanches, des hommes devisaient sur son état. Des mots revenaient, souvent les mêmes : infection, purulence, gangrène.

Adelin se souvenait de ce besoin de sommeil, de cette lourdeur du corps et de la pensée ruinant ses efforts et sa volonté. Cette nuit, il ressentait la même chose. Tendre la main pour prendre un pot d'eau lui coûtait. Il aurait tant aimé qu'on l'aidât à boire, une main dans le dos pour le soutenir, l'autre approchant un verre de ses lèvres. De l'eau, de la glace, quelque chose de froid pour apaiser le feu de sa gorge et de ses lèvres.

Plusieurs fois, il essaya de se glisser hors de son sac de foin. Chaque fois les frissons étaient tels qu'il se recouchait. Réfléchir lui demandait trop d'efforts. Il repoussait tout : les mots, les pensées, les gestes et leurs ébauches.

Dans un instant de lucidité, il repensa à sa blessure. A l'état de la plaie dont il ne s'était pas préoccupé depuis des jours. Couché sur le flanc, il remonta lentement la main sous sa chemise, à la recherche du pansement fait d'un morceau de toile de jute découpée. Pour le maintenir, il avait noué des lacets autour de son torse.

Une fois le pansement détaché, il inspecta sa plaie comme il avait vu les médecins le faire. Sur les pourtours il palpa, au milieu il effleura seulement. Partout c'était chaud et gonflé.

Refusant l'évidence, il s'assit, les dents serrées, les mâchoires tremblantes. La chemise relevée, il tâta de nouveau sa blessure. La plaie avait changé d'aspect. Elle avait pris du volume, s'était boursouflée au centre. Il resta un instant à fouiller dans son esprit, à la recherche d'un remède, un cataplasme de plantain ou des feuilles d'impératoire trempées dans de la résine. Il avait vu Bertille pratiquer un jour de la sorte pour soigner un panaris sur le jarret d'une génisse. Elle appliquait les feuilles une à une, enduisant chacune d'elles avant de la poser.

« Plus tard, pensa-t-il, le corps renonçant, déjà couché sur son grabat... plus tard. »

Le peu de chaleur de sa paillasse suffit à ralentir ses tremblements.

« Va me falloir remonter à l'alpage », songea-t-il, les paupières de plus en plus lourdes. Le ciel était d'un blanc transparent. Bertille l'attendait sur les marches de bois du chalet d'alpage, en robe de futaine noire, un châle de même couleur sur les épaules.

Son visage était différent des autres fois. Ni triste ni distant, seulement absent.

— Ne m'en veux pas, murmura-t-il, les paupières déjà closes. Pour l'éboulement, je n'ai pas pu faire autrement.

18

Depuis plusieurs jours, le temps s'était remis au beau. Le ciel décapé essayait de faire oublier la grisaille des semaines passées. De partout tombait une lumière diamantée, lustrant les sommets, ravivant les terres et les pâtures, poudrant d'un mouchetis de verre les toisons sombres des conifères. Les feuillus les moins dépouillés vibraient encore de quelques teintes cuivrées, rouges ou mordorées. Il y avait dans ce sursaut comme l'envie de se faire pardonner tous ces jours perdus d'un automne avorté.

Dans les maisons aussi, on respirait. On ouvrait grand les fenêtres pour laisser entrer cette brise légère qui sentait encore un peu l'été.

Allongé sur un bat-flanc qui lui tenait lieu de lit, Adelin chassa de la main des rais de lumière venus lui caresser le visage. Ceux-là tombaient d'un fenestron placé au ras du toit. La porte, un peu haute sur ses gonds, en laissait passer d'autres, effilés comme des hampes de roseaux.

Encore engourdi dans un sommeil épais, Adelin força sa mémoire pour tenter de se souvenir de l'endroit où il se trouvait. Bien qu'étroite, la pièce n'était pas sombre. Les murs de bois renvoyaient une lumière dorée où des myriades de grains de poussière dansaient en silence. Par endroits, s'échappaient d'entre les planches des touffes de mousse et de lichen vert.

Adelin leva les yeux. Ses paupières n'étaient pas douloureuses, son front avait retrouvé sa fraîcheur. Du plafond pendait un fouillis de plantes et de feuilles, de branches tordues et tourmentées, de champignons rabougris. Tout ce que la nature avait produit de bizarre ou d'anormal dans ses formes ou ses couleurs semblait réuni là, serré par des ficelles ou simplement tenu par des clous.

Auprès du châlit était posée une bouille à raisin comme en utilisaient les Valaisans pour les vendanges. Dessus une simple planchette sur laquelle brûlait une lampe à huile. A côté, une bible frappée d'une croix tout en hauteur, dont les bras s'étendaient jusqu'au bord de la couverture.

Adelin prit appui sur un coude. Un morceau de souvenir lui revint au moment où il porta la main à son flanc. Son pansement, fait de larges bandes de tissu, courait du dos au poitrail. Du lin sans doute, à en croire la texture de la toile. En se levant, il reconnut sa chemise et son pantalon posés dans un coin, ses brodequins à côté.

Les murs et le sol étaient de planches, comme cela se faisait dans les cabanes d'altitude. Sous ses pas, le bois grinça, réveillant le silence de la pièce. La porte s'ouvrit avant même qu'Adelin eût le temps d'esquisser un mouvement. Appuyé au dormant de la porte, se tenait un homme, les bras de chemise roulés haut.

— Je te demande pas si tu vas bien, t'aurais de la peine à le savoir toi-même, fit-il d'une voix douce mais fortement accentuée sur certains mots.

Les deux hommes s'affrontèrent du regard. De la curiosité plus que de la méfiance. L'un et l'autre hésitaient à en dire davantage, se jaugeant avant de décider d'aller plus loin.

La soixantaine, estima Adelin. Une tête large et carrée, un front arrondi comme un talus, mangé par la broussaille de ses sourcils. En dépit de cette brutalité d'apparence se dégageait de son visage une bonté rassurante. La tignasse blanche y était pour beaucoup, vaporeuse sur le haut, ondulante sur la nuque et les oreilles. Les yeux faisaient le reste. Petits, bruns et chauds, installés derrière des paupières en rideau. Ce fut lui qui parla le premier, de cette même voix lente où les mots avaient le temps de creuser leur lit.

— Rassure-toi, tu es à l'abri ici...

Adelin hésita. Parler n'était pas sans risque, se taire l'exposait également. Sur ses gardes, il demanda :

— C'est où, ici ?

— Là où personne n'aura idée de te chercher, esquiva l'homme.

— Y a bien un nom ?

— On dit le val ou la montagne. C'est sans importance puisque personne n'y vient jamais.

Il y avait dans sa manière de parler le souci de rassurer. Cela s'entendait à sa façon douce de prononcer les mots, de leur assurer de la légèreté, les effleurant seulement des lèvres avant de les délivrer. Cela se devinait aussi à ses hochements de tête, où habitude et intention se confondaient. Ses yeux, quand on les apercevait derrière ses paupières, prenaient le luisant d'un vieux bois. Après un temps passé à opiner du chef, il précisa :

— C'est le val de Bagnes ici, tu es dans le Valais suisse.

Adelin ouvrit la bouche pour parler.

— Assieds-toi, coupa l'homme, ne perds pas tes forces, tu as eu assez de mal à les recouvrer.

De la main, il aida Adelin à s'allonger sur son grabat, le soutenant par les épaules et le haut du dos. Une fois adossé, Adelin leva les yeux. Le même regard que tout à l'heure était posé sur lui. Ses yeux irradiaient de l'intérieur, une sorte de bonté tranquille s'en écoulait, douce et forte à la fois comme ces liqueurs dont on ne se méfie pas. L'homme sembla deviner la gêne qu'il suscitait. Détournant les yeux, il enchaîna :

— Ta tête doit bourdonner de questions. La plupart sont sans importance, j'y répondrai quand le moment viendra. Ne te perturbe pas avec l'inutile, garde tes forces pour l'essentiel.

— Vous êtes qui ?

L'homme sourit en se ridant les joues et expliqua :

— Il y a plusieurs façons de répondre. Je vais aller au plus court. Mais ce n'est pourtant pas le plus important.

Dans la pièce, ça sentait l'air propre. Un goût de linge séché au vent comme Adelin n'en avait plus senti depuis longtemps. De loin en loin, des effluves de plantes venaient fouiner, furetaient quelques instants dans la pièce, puis repartaient vers la poutraison, où était leur royaume.

L'homme tira à lui un tabouret de vacher, releva les jambes de son pantalon et s'assit, le dos contre la cloison. Son corps était sec, même à la taille, où sa chemise entrait en creux sous sa ceinture.

— Je m'appelle Sylvère, dit-il de la même voix lente. Mais personne ne me connaît sous mon nom. Les rares à qui je parle m'appellent le Vaudois. N'en conclus pas, fit-il, le doigt levé comme pour un prêche, que je viens du canton de Vaud. Je suis vaudois de religion.

Adelin le dévisagea, l'œil plissé.

— Je vais t'expliquer, rassura l'homme en hochant toujours la tête. Si je te lasse, t'auras qu'à baisser les paupières, je m'arrêterai.

Et il commença de raconter :

— Le nom de vaudois vient de loin, de la fin du Moyen Age. A cette époque, un groupe de fidèles a voulu revenir aux Evangiles, les textes et rien d'autre. Celui qui les conduisait s'appelait Pierre Valdo, un riche marchand lyonnais, qui a tout abandonné pour partir prêcher l'amour des hommes, la Bible à la main. De là nous est venu le nom de vaudois. Certains nous appelaient aussi les Pauvres de Lyon, en raison de notre vœu de pauvreté et de l'extrême dénuement dans lequel on a vécu.

L'homme joignit ses mains sur le devant de ses genoux, croisa ses doigts et poursuivit :

— Les choses se sont bien passées au début. Et puis un jour l'Eglise romaine s'est inquiétée que des laïcs prêchent la parole divine. Les ennuis ont alors commencé. Il a fallu fuir les villes, se réfugier dans les campagnes. Puis vers des lieux de plus en plus reculés. L'Inquisition était là avec ses bûchers et ses croix. On a pris alors l'habitude de vivre retirés au fond des vallées, sur les hautes terres... partout où la vie n'a pas d'attrait, mais où l'âme trouve à s'épanouir.

— Et vous êtes encore nombreux à vivre ainsi ? demanda Adelin, intéressé et soupçonneux à la fois.

— A dire vrai, je n'en sais rien. Aux XIIIe et XIVe siècles, nous étions des dizaines de milliers en Dauphiné, en Bourgogne, en Provence, en Franche-Comté. Certaines communautés ont fait souche en Italie du Nord, d'autres sont remontées jusqu'en Europe centrale. Partout où il fallait porter la parole de Dieu, nous sommes allés, nous fondant dans les populations, secourant, aidant, partageant le peu que nous avions avec les plus pauvres d'entre les hommes.

Le Vaudois marqua un temps. Sous l'éclairage du fenestron, il paraissait plus lourd d'épaules que tout à l'heure. Les souvenirs, le passé, les échecs et les vicissitudes de la vie resurgissaient et, avec eux, l'envie de faire entendre la voix de Dieu. Ses mots s'enflammèrent sans prévenir :

— Tu comprends, lança-t-il, le bras levé, c'était l'idéal évangélique qui nous guidait. Souffrir la faim ou le froid n'est rien quand tu annonces la parole de Dieu.

Son bras retomba, sa voix aussi :

— Et puis peu à peu, l'Inquisition a eu raison de nous. Nous avons eu de plus en plus de mal à prêcher. Il a fallu vivre reculés dans les montagnes, se réfugier dans des grottes, dormir à même la terre parfois. On a eu beau s'organiser, vivre entre nous, beaucoup ont succombé, d'autres ont renoncé. La plupart de nos ancêtres ont alors rejoint la Réforme même si notre idéal était de ne pas être assimilés, ça s'est fait quand même.

— Mais vous, insista Adelin, vous êtes qui ?

— Un pauvre parmi les pauvres...

— Ça me suffit pas...

— Je m'en doute, mais c'est ma réponse.

Le Vaudois hésita. On le sentait partagé entre l'envie de se taire et l'inquiétude qu'il sentait poindre chez son hôte. Il toussota pour se donner le temps de décider. Une première fois avec la main fermée devant la bouche. Puis après un long soupir, il s'ébroua en se passant la main dans les cheveux et poursuivit :

— Je ne suis ni prêtre, ni moine. Je vis parmi les hommes sous la loi de Dieu. A ma manière, j'essaie de perpétuer l'idéal de ceux qui m'ont montré la voie. Eux tendaient la main à ceux qui en avaient besoin et donnaient sans jamais rien attendre en retour. En cela, je ne fais que les imiter.

N'y tenant plus, Adelin prit appui sur un coude. Le mouvement éveilla une douleur dans son flanc, sourde et profonde comme il en avait connu aux premiers jours d'hôpital. Dans le rectangle du fenestron, se découpait un grand pan de ciel où se diluaient des nuées d'altitude pareilles à des coups de gomme sur

de la craie bleue. Il chercha les yeux du Vaudois et lui
lança d'une voix nouée :

— Ne m'aidez pas, vous ne savez pas qui je suis.

— Tu es un homme, cela me suffit.

— Avant peut-être… mais plus aujourd'hui.

— Ce n'est pas à toi d'en juger, c'est à Dieu.

— Dieu n'existe plus.

— C'est ton droit de L'ignorer, mais Lui, Il continue
de t'aimer.

Adelin se laissa retomber sur son oreiller. Le
piquant du foin crépita sous sa peau. C'était agréable
comme jadis dans la cabane des Chavonnes. D'une
voix fêlée, il insista :

— Ne m'aidez pas, vous vous mettez en péril.

— La belle affaire ! Cela fait des siècles que nous
sommes pourchassés, que l'on nous oblige à vivre
comme aux premiers temps de l'homme.

— C'est pas la même chose avec moi…

Adelin avala sa salive, brutalement. Il n'osait en dire
davantage. L'air était fluide et propre, saupoudré de
grains de lumière qui en tissaient la trame. Il se laissa
aller plus lourdement sur son grabat puis annonça
d'une voix vaincue :

— Je reste cette nuit, mais je repars demain.

— Comme tu voudras, fit le Vaudois avec un regard
habitué à peser les hommes et leurs misères.

En tournant le dos pour sortir de la pièce, il ajouta :

— Pense aussi à ceux qui t'aiment. Eux ont agi au
péril de leur vie, pas moi.

La phrase eut sur Adelin l'effet d'un coup de nerf
de bœuf. Dans un même geste, il repoussa la toile lui

servant de couverture et se redressa, chancelant. Son torse était maigre et blanc. La large bande de toile qui en ceignait le bas le rendait plus fragile encore. En dessous, les côtes saillaient comme les filetages d'un pressoir. La voix, le visage et le geste étaient durs quand il demanda :

— Qui ça, eux ?

— Ceux qui t'ont amené ici.

Adelin accusa le coup. Il lui sembla se tasser sur sa couche, mais il n'en laissa rien paraître :

— J'suis arrivé comment ici ?

— A dos d'homme, en pleine nuit.

— C'était quand ?

— Il y a dix jours.

Adelin porta la main à son front, manière de faire qui ne lui était pas ordinaire, mais qu'il avait vue maintes fois pratiquée à l'hôpital.

— T'allais pas fort, poursuivit le Vaudois, t'étais en train de pourrir de l'intérieur. Les chairs, les humeurs et sans doute l'âme aussi.

— J'ai déroché en montagne.

— La confiance, ça ne se décrète pas, lâcha le Vaudois, un peu distant, ça s'accorde ou ça se refuse.

Ce faisant, il se dirigea vers Adelin et l'aida à se rétablir sur son grabat. Dans sa façon de faire, il n'y avait ni compassion ni ostentation, seulement les gestes d'un homme au secours d'un autre.

A bout de forces, Adelin se redressa une nouvelle fois, hésita, puis finit par lâcher d'une voix pâle, sans doute celle utilisée pour avouer un crime ou un méfait :

— Je suis déserteur... j'ai trahi tout le monde par

peur ou par lâcheté. Je ne sais même pas comment j'ai pu, ça s'est fait tout seul, je ne voulais pas sur le moment. Ça s'est fait tout seul, répéta-t-il.

Le Vaudois s'approcha et lui posa la main sur l'épaule. Dans son geste, il mit ce qu'il pouvait d'amour, se gardant de juger, s'interdisant d'émettre ne fût-ce qu'un avis. Pour la première fois depuis des semaines, Adelin avait quelqu'un à qui parler. Ses peurs, ses doutes et ses rancœurs trouvaient un miroir dans lequel se refléter. Ses mots étaient encore bien en peine de venir. Son regard les devançait, ouvrant un sillon où il espérait les voir germer. Ce fut le Vaudois qui prit la parole. De cette même voix prononçant les mots à demi-mesure, il lâcha une phrase. A elle seule, elle valait tous les jugements :

— Tu sais, un homme qui n'a jamais eu peur n'est pas un homme.

Et il retourna s'asseoir sur son tabouret de vacher. La lumière tombait de biais sur ses cheveux de mousse blanche. Comme tout à l'heure, il adopta une pose propice aux confidences, dos voûté, bras fléchis et sourcils relevés pour aider ses yeux à franchir le rideau de ses paupières. Ses mots avaient quelque chose d'apaisant :

— Ils sont arrivés, trois ensemble, en pleine nuit. Deux hommes et une femme. Exténués, gris de fatigue et de poussière. J'avais jamais vu personne dans cet état. Je connaissais l'un des hommes. Des fois, il m'achète des plantes et des herbes qu'il va revendre dans la vallée, vers Sierre et Martigny, peut-être même plus loin, je sais pas. Il est toujours à chercher quelque chose à faire ou à revendre, à fouiner, à combiner avec l'un ou l'autre. Il n'a pas mauvais fond. C'est dans sa nature, il a dû naître comme ça.

— Grand ou petit ?

— Petit, avec des épaules pas plus larges que ça, fit le Vaudois en écartant les mains sans décoller les bras de ses genoux. Il ne fait pas d'ombre en marchant, qu'il dit. Ça fait des années que les douaniers essaient de le coincer, ils ne savent même pas son nom. Des fois, il vient planquer ses sacs ici, ou m'apporter quelques bricoles, sauf les peaux de bêtes, que je refuse.

— Il est d'où ?

— De chez toi...

Adelin fit mine de chercher et finit par dire :

— J'sais qui c'est. Je lui ai donné des médicaments un jour pour son fils.

— Il m'a raconté. Il te doit une vie, qu'il m'a dit.

— Et l'autre, comment il était ? s'impatienta Adelin.

— Guère plus grand mais beaucoup plus vieux, avec une tête tout en triangle.

— J'vois pas.

— Un ancien guide, un peu bizarre mais résistant comme pas deux. Porter un gaillard comme toi sur le dos, pas grand monde l'aurait fait, je peux te le dire.

— Connais pas.

— Il est allé te chercher dans la grotte où t'étais en train de mourir. Il s'est servi d'une bouteille pour te retrouver.

— Quoi ? fit Adelin.

— T'as bien entendu. Une bouteille où il dit avoir enfermé le dernier souffle de son grand-père. Vrai ou faux, il faut respecter ce qu'il croit.

— Et la femme ?

— Toute jeune. La plus inquiète des trois. Elle s'occupait de toi sans arrêt. Elle avait appliqué des emplâtres d'herbes sur ta blessure, elle s'y connaît en plantes, c'est sûr. Mais avec la poche de pus que tu avais, ça ne pouvait pas suffire, fallait aller au fond du mal, sinon t'y serais passé. Si je ne t'avais pas enfoncé un trocart là-dedans comme pour une brebis... Dieu seul sait ce que tu serais devenu.

— Son nom, vous le connaissez ?

— Non. Elle a seulement laissé ça pour toi, dit-il en sortant de sa poche un lacet de cuir roulé en boule.

Adelin tendit la main. Avant même de sentir le cuir sous ses doigts, il reconnut l'anneau de fer-blanc décoré de grains d'orge.

Pour la première fois depuis son retour du front, Adelin laissa aller son corps. C'était comme un relâchement après une course quand il brassait l'eau devant le bachal de bois, quand il s'aspergeait le torse de longues éclaboussures cinglantes, le regard tendu vers les sommets et l'âme triomphante.

Le Vaudois l'observait, l'œil embusqué sous la paupière. Se lisait sur son visage la bonté de ceux qui savent donner. Quand il déplia son long corps osseux pour se lever, la chambre se trouva emplie d'une présence qui n'était plus seulement humaine. Il s'arrêta devant la porte et désigna l'autre pièce, de son pouce retourné :

— C'est là que je vis. Tu peux t'y installer si ça te dit.

Adelin fit non de la tête. L'instant lui suffisait. Il s'absorbait dans la quiétude du moment, affectant de ne rien voir, les paupières à demi fermées. Il ne put s'empêcher, pourtant, de laisser son regard filer dans l'entrebâillement de la porte.

Bien que blanchis, les murs avaient davantage la couleur du gros sel que celle de la chaux. Ils étaient d'une épaisseur inhabituelle, surtout vers le bas, où ils s'évasaient en pied d'éléphant. Dans la pierre, sans doute du moellon, avaient été taillées des niches finissant en ogive. A l'intérieur, des crucifix étaient posés à même la pierre, certains éclairés par une petite bougie, d'autres par une lampe à huile pas plus grosse qu'une montre de gousset.

Le Vaudois s'enfonça dans l'ombre de la pièce. On l'entendit quelques instants fouiller dans un meuble, tirer des planches ou forcer un tiroir, puis il sortit, laissant la porte ouverte derrière lui. La pièce s'emplit brutalement d'une lumière dorée venue du dehors. Adelin se leva et avança jusqu'à la porte.

A la fois chapelle, cloître et cellule, la pièce était tout entière dévolue à la prière et au recueillement. Seule une table de berger avec son abattant fixé au mur, un bat-flanc garni d'une paillasse efflanquée et un coffre de bois sculpté sortaient l'ensemble de son dépouillement. Ailleurs les murs étaient sans décoration ni objets autres que ceux de culte. Dans un bric-à-brac digne d'une remise, s'entassaient crucifix, chapelets et images pieuses. L'une d'elles, sans doute gravée à la pointe sèche, représentait un homme en pied, une bible à la main, l'autre posée sur un crâne édenté.

Adelin demeura un long moment à regarder. Quand rentra le Vaudois, les bras chargés de bûches, il ne parut pas surpris de le voir là.

— T'admires mes reliques ?

— Non, seulement la gravure, rectifia Adelin.

— L'un des derniers vaudois, précisa le vieil homme, avec un temps mort dans la voix. Il a vécu dans l'autre siècle. Lui avait encore le courage de prêcher... c'est lui aussi qui m'a appris les plantes et leurs usages. Mon maître, en quelque sorte.

Une fois ses bûches déposées devant la cheminée qui sentait l'âtre vide, le Vaudois ouvrit la porte avec un mouvement de tête qui invitait à le suivre.

Sitôt le seuil franchi, Adelin respira l'odeur des cimes. Une sorte de parfum, plus léger que l'air, un éther qui sentait la roche et le vent. Et devant lui, aussi loin que ses yeux portaient, des sommets en forme de cathédrales, sculptés de pinacles et de tourelles, de vires et de surplombs. Partout des passages, des saignées, des coulées. Une roche dense et ferme, des approches par les flancs le long des grands pierriers couleurs d'étain que l'on devinait comme un tapis au pied des hautes falaises. Une célébration minérale qui empoignait l'âme et l'entraînait vers les sommets sans qu'on y prêtât attention.

A longues goulées, Adelin but cet air venu de là-haut. Il le savait chargé de fraîcheur et de ses odeurs de glace puisées au sortir des bédières, dans le flanc des moraines. Partout où la montagne acceptait de livrer ses secrets à qui savait les lire. Un simple regard sur les herbes lui confirma son intuition. La brise du soir tombait et avec elle arrivait l'envers du jour, plein de ses mystères.

Adelin se repéra au soleil. Au couchant, le ciel flamboyait, tirant derrière lui des traînes de nuages qui basculaient derrière l'horizon. Impassibles, les sommets assistaient au spectacle comme chaque soir, acceptant ses derniers rayons comme une scène finale avant un tomber de rideau.

Se décalant encore un peu, Adelin chercha à se repérer dans ce dédale de sommets qu'il ne connaissait pas.

— Chez moi, c'est par là ? demanda-t-il, la main pointée en oblique vers le couchant.

— A peu de chose près...

Adelin imagina le village replié sur sa place, sa grenette, son clocher qui sonnait les quarts et les demies, sa ferme, sur le tombant du coteau, son mazot où son père était peut-être, sa mère devant son fourneau. Leurs regards qui ne s'affrontaient pas, leurs yeux qui ne se regardaient pas. Ou pour quelques brefs instants, en faisant vite, en se fuyant, honteux de vivre alors que lui n'était plus.

Plusieurs fois, la question lui vint aux lèvres. Il suffisait de prononcer le premier mot et les autres suivraient. Il essaya en vain. S'y reprit autrement, parlant de terres qui mouraient, des futaies qui gagnaient, des bras qui manquaient pour abattre, scier ou moissonner.

Chaque fois, les mots lui manquaient pour parler de ceux qu'ils aimaient.

Le Vaudois s'était assis sur un reste de billon servant de plot à refendre, à en croire ses bords effilochés. Les mains sous le menton, il détaillait l'horizon, les doigts croisés dans une attitude propice à la prière. Une manière de laisser venir les choses à lui, sans rien demander. Les yeux coincés sous les paupières, il s'adressa à Adelin comme il l'eût fait à des fidèles :

— Quand on a mal, c'est qu'on aime encore.

Il marqua un temps, sans doute mis à profit pour choisir ses mots, avant d'ajouter :

— Dis-toi bien qu'il y a pire que de ne pas recevoir, c'est de ne plus savoir à qui donner.

Muré dans son silence, Adelin ne broncha pas. Pour rompre l'échange, il alla s'asseoir sur une margelle de pierre, un peu à l'écart. En y posant les mains, il reconnut cette sensation rassurante de la roche chauffée au soleil. Sans hésiter, ses mains trouvèrent leur place, les paumes d'abord, puis les doigts qui caressèrent la matière. Il n'était pas dans sa vallée, mais l'air, la pierre et le vent avaient le même goût, la même texture, la même mémoire.

Les yeux dans le lointain, le Vaudois dodelinait toujours de la tête. C'était sans doute chez lui une habitude. Les mains posées en coque sur le rond des genoux, il semblait mâcher sa vie à petits morceaux.

Quand l'air se fit plus cru, Adelin se leva et regagna la pièce à vivre. A court de suif, des bougies s'étaient éteintes, il les remplaça comme s'il eût été désormais admis qu'il était dans son rôle de participer à l'entretien des lieux. S'approchant, il observa les crucifix. Jusque dans les détails, les Christ en croix se ressemblaient tous. Dépouillés, dénudés, efflanqués, mais beaux pourtant.

Sans bruit, le Vaudois entra. Son visage rayonnait. C'était comme un vernis, quelque chose de fluide qui épousait la courbe de ses traits. Il le savait, ou du moins s'en doutait, mais ne semblait pas en faire cas. Après un court instant d'hésitation, il se tourna vers Adelin :

— Faut quand même que je te montre...

— Quoi donc ?

— L'un des rares secrets des lieux, fit-il en empoignant la table de berger par son abattant.

Il ne la tira pas à lui comme il aurait dû faire, mais la repoussa dans le mur, cherchant à l'enfoncer dans la cloison. Au premier mouvement, rien ne se produisit. Il s'y reprit une seconde fois en forçant un peu.

— C'est une vieille mécanique, s'excusa-t-il en renouvelant son geste.

Cette fois, la cloison pivota sur ses charnières, ouvrant sur une pièce à l'haleine froide.

— Avant c'était tout pur, mais maintenant ça sent tout le renfermé là-dedans.

Le Vaudois s'empara d'un lumignon en terre et éclaira l'intérieur.

— Si un jour quelqu'un venait, t'auras qu'à faire comme moi. Un coup sec et la mécanique s'ouvre. Pour refermer, tu fais pareil de l'intérieur.

Adelin se pencha pour regarder.

— On tient à quatre ou cinq hommes là-dedans, fit le Vaudois, plus quelques ballots bien entassés.

— Une cache de contrebandier ?

— Tout juste, avec une sortie de l'autre côté du pentu. Elle sert depuis des siècles, des fois pour les marchandises, des fois pour les hommes... Ceux qui l'ont creusée savaient ce qu'ils faisaient, crois-moi. Tout est doublé de bois avec de la sciure entre les murs. Y a pas meilleure protection contre le froid. Et là-dedans, tu peux parler à haute voix, on ne t'entend pas.

En parlant, il avait posé ses mains sur le haut du montant. Des mains carrées aux doigts en spatules. Des mains habituées aux manches d'outils, peut-être aussi aux rochers, à en croire l'épaisseur de leurs attaches. Tout à son récit, le Vaudois voulut montrer comment on entrait, par où l'on ressortait. En expliquant, lui revenaient des bouts d'histoires qu'il assemblait, faisant fi des époques et des événements.

— Un jour, y a longtemps, commença-t-il d'une voix lente, ils sont arrivés avec des ballots plus hauts qu'eux. Ils étaient deux, je les ai vus monter depuis le bas, t'aurais dit des rentourneurs avec leurs affaires sur le dos. Tout de suite, j'ai compris que ça n'allait pas fort pour eux. Je ne les connaissais pas, mais eux si. Quand ils m'ont vu sur le pas de la porte, ils se sont déchargés vite fait et m'ont demandé si je pouvais leur ouvrir la trappe.

Il leva les sourcils pour permettre à ses yeux de s'échapper un instant de sous ses paupières et planta son regard dans celui d'Adelin.

— Dans ces cas-là, fit-il, l'air sentencieux, tout se passe en un rien de temps. T'as confiance ou pas. C'est pas à la tête que ça se juge. Y a des malfaisants qu'ont des visages d'honnêtes gens. Ce sont les yeux qui comptent. Le regard, ça ne trompe pas. Qu'on mente ou qu'on ait peur, il y a toujours un moment où ça se voit.

Il marqua un temps, semblant ajuster les prochains mots de son récit. Et d'un geste vague, donna le signal de la suite :

— Pour ces deux-là, j'ai pas hésité. Je leur ai même donné un coup de main. Leur barda était tellement haut qu'il ne passait pas par l'ouverture. On a ouvert les sacs vite fait au couteau. Y avait de tout là-dedans. Des allumettes par centaines de boîtes, des briquets, du ferrocérium, la fameuse pierre à briquet, et même des cartes à jouer achetées quinze centimes ici et revendues soixante en France. Une misère... pour de tels risques. J'ai poussé tout cela dans le fond du réduit et je les ai enfermés en leur donnant un cru-chon d'eau et un morceau de pain, des fois que ça dure un peu...

— Et alors ?

— Alors personne n'est venu. Ça me paraissait pas bien normal, tout cela. J'avais beau sortir de temps en temps pour écouter et flairer l'air, personne. Pas plus dans la pente que dans les touffes de genévrier qui bordent le belvédère.

Adelin écoutait sans rien dire. Il lui semblait revivre ses dernières semaines d'errance. Assis sur un tabouret à traire, il s'était calé contre le mur. Son dos ne lui pesait plus, sa tête était vide, exempte des images de mort qui l'avaient pourchassé jusque dans sa grotte. Le Vaudois continuait à raconter. Il disait la vie, ses aléas et ses misères, avec une pointe de malice au coin des lèvres.

Cela rappela à Adelin les soirs de veillée. Quand parents et amis s'installaient en cercle dans la lumière ondulante de la lampe à huile pour raconter avec des mots simples ce qui parfois était plus compliqué. Adelin comprit bien plus tard que ces histoires de meuniers endormis sur leurs sacs ou vidant leur grain à l'entrée du moulin n'avaient rien à voir avec le travail du grain mais davantage avec l'anatomie masculine et ses défaillances.

Le Vaudois parlait toujours. Il était question d'uniformes, de marmottes de portage, de zones franches, de colporteurs et de pacotilleurs, de bricotiers quand il s'agissait d'enfants... Un moment, il s'interrompit :

— Et tu sais qui c'était ?

Adelin eut du mal à revenir dans l'histoire et se contenta de faire non de la tête.

— C'est celui qui t'a amené ici... le père de l'enfant que tu as sauvé. Comme quoi, tu vois, tendre la main à quelqu'un c'est aussi l'engager à faire le bien.

Après, les deux hommes rabattirent la table de berger. Elle reposait sur un pied basculant, décoré de torsades et de rosaces sculptées au couteau. Le tour du plateau était encadré d'une frise de bois, véritable travail en ronde-bosse, signant la patience d'un homme et son goût du détail soigné.

Comme de rien, le Vaudois alla chercher un chaudron posé sur les pierres de l'âtre et l'apporta sur la table en le tenant à bout de bras.

— J'ai que ça à t'offrir, de la soupe à tous les repas.

Il se reprit et ajouta avec le même pincement malicieux au bord des lèvres :

— Tu verras, c'est rarement la même.

— Ma foi, ça me va...

Et le vieil homme servit avec des gestes mesurés, les mêmes que ceux du père d'Adelin le soir de son retour. Il y avait dans cette lenteur autre chose que la maîtrise d'un geste. On le sentait attentif, soucieux de bien faire.

D'un mouvement arrondi du bras, il tailla deux grosses tranches de pain de seigle. Au moment d'en tendre une à Adelin, il demanda :

— Le cumin, tu aimes, au moins ?

— On roule parfois les fromages dedans.

— J'en mets dans le pain, on le digère mieux ainsi. Et ça l'empêche de durcir.

Face à face, les deux hommes mangèrent en silence. C'était une soupe d'épinards sauvages. Pour en atténuer l'acidité, il avait ajouté quelques pommes de terre écrasées au pilon et du fromage frais. Entre les deux hommes, s'était installé un silence de circonstance tout juste dérangé par quelques bruits de cuillère et de bouche mouillée.

Adelin mangeait vite. Il lui tardait de finir pour en savoir davantage sur le Vaudois. Lui ne levait pas les yeux, concentré sur un monde qui lui appartenait. Adelin se souvint d'avoir vu des hommes là-bas au front, ainsi reclus, incapables de se joindre aux autres ni de participer à quoi que ce fût.

Son assiette terminée, Adelin la repoussa comme il avait coutume de le faire. Et attendit, les bras calés comme des étais au bord de la table. Au bout d'un moment, le Vaudois leva les yeux :

— Encore faim ? fit-il en tirant sur ses mots pour les faire durer plus longtemps.

— Ça va.

Un silence dérangeant était en train de s'installer. Adelin le sentit tomber comme un brouillard d'automne. Il attendit quelques instants encore avant de demander :

— Et la montagne, vous y allez ?

— J'y suis tout le temps à ramasser mes plantes et mes légumes. Je ne cultive rien, la terre me donne tout.

— Mais les sommets...

Le Vaudois hésita. Prudemment, il avança ses premiers mots à la manière d'un joueur conscient de ne pas avoir tiré la bonne carte.

— J'y vais rarement.

— Ça doit pourtant pas manquer, les belles courses, par là-haut.

— Y en a...

En l'écoutant, Adelin avait le regard sur les mains du Vaudois. Deux énormes pognes, appuyées sur la table, immobiles et inutiles depuis que sa cuillère était posée. Leurs articulations, leur épaisseur, la largeur des poignets, tout attestait d'une force acquise au travail ou sur les rochers.

— Y en a de belles, répéta-t-il avec un retrait du buste signifiant sans doute qu'à son goût les choses pouvaient en rester là.

Adelin revint à la charge de manière incidente.

— Vous pourriez m'accompagner un jour ?

La réponse fut cinglante :

— N'y compte pas, je ne vais plus là-haut depuis longtemps.

Adelin parut surpris mais se garda d'en demander la raison. Le Vaudois se chargea de couper court :

— Chacun son histoire, la mienne me regarde.

Sans plus d'explication, il laissa retomber le rideau de ses paupières, se leva et rapporta un cruchon laissé au chaud dans la cheminée.

— Bois-en un bol, dit-il d'une voix distante, ça t'aidera à passer la nuit.

— C'est quoi ?

— Une décoction de belladone.

— C'est une plante mortelle, non... ?

— Suffit de savoir l'utiliser, fit le Vaudois d'un ton rogue.

Se lisait sur son visage une sorte d'amertume étonnée qui lui alourdissait les traits. Il semblait se faire violence pour n'en rien laisser paraître, mais son visage le trahissait. Avec lassitude, il entreprit d'expliquer ce qui à ses yeux n'avait pourtant pas lieu de l'être :

— Quand tu es arrivé ici, tu brûlais de fièvre. Par moments, ton pouls s'arrêtait. J'ai bien cru plusieurs fois que t'allais y passer.

Le Vaudois s'était assis pour parler. De l'échancrure de sa chemise bouffait une grosse touffe de poils blancs qu'Adelin aurait juré voir trembler sous l'effet du souffle. La voix était pourtant posée, seuls les mots vibraient étrangement, pareils à ceux des enfants proches des larmes. La lumière de la lampe mêlée à celle, vacillante, de la cheminée peinait à éclairer la pièce. Habilement, le Vaudois en tirait avantage. Il usait de l'ombre pour garder ses yeux cachés et son visage à l'abri du regard d'Adelin. Il prit le temps de respirer puis ajouta :

— Dans l'état où t'étais, c'était ça ou rien. T'as bu de cette décoction toutes les cinq heures, y avait pas d'autre moyen de te garder vivant.

Adelin ne dit rien. Il remplit le bol de terre placé devant lui.

— Les baies sont toxiques, les feuilles moins. Tout est une question de dosage. Faut diluer beaucoup et couper avec sept eaux différentes, voilà tout. Après ce n'est plus toxique. On ne sait pas pourquoi... C'est comme si l'eau ne gardait que le bon et rejetait le mauvais. C'est l'opposition du bien et du mal, du mortel et du vivant, comme toujours.

Le Vaudois avait le regard fatigué. Idées, mots et sentiments lui venaient par vagues. Il poursuivit :

— Prends le houx ou le gui, par exemple, même en hiver ils ont leurs feuilles toujours vertes, c'est la vie, et pourtant leurs baies sont mortelles, c'est la mort. Tout est comme ça, c'est l'opposition éternelle des forces. Tu n'y peux rien, tu ne peux qu'accepter les lois de la nature, qu'elles te plaisent ou non.

Adelin le regardait, le pouce et l'index enfouis sous sa moustache. Il était partagé sur la nature de cet homme. Mais il n'arrivait pas pour autant à lui faire reproche ni de son emportement, ni de ses remarques. Chacun de ses mots sonnait juste, comme si chaque fois il le prononçait en sachant précisément à quelle place il allait tomber et ce qu'il allait éveiller.

Dépeigné, les joues un peu échauffées, le Vaudois pencha la tête pour accrocher la lumière bonde qui rampait à hauteur de ses épaules.

— Vois-tu, parvenir à l'âge d'homme n'est pas un privilège, car plus tu en sais, moins tu comprends. Peux-tu au moins m'expliquer pourquoi les oiseaux et les escargots peuvent avaler sans risque des baies de belladone alors que si toi tu t'avises de manger l'un de ces animaux, tu en mourras en quelques heures. Hein, peux-tu m'expliquer...

Il leva une main lasse et lâcha comme une évidence :

— C'est Dieu qui nous parle, mais on ne sait pas l'entendre. Pour toi, c'est pareil. Ce qui t'est arrivé n'est pas dû au hasard, faudrait être aveugle pour le croire. Il t'a tendu la main. A toi maintenant de lui rendre la pareille.

— En quoi faisant ?

— En vivant, c'est déjà beaucoup. Et en lui apportant la preuve qu'il ne t'a pas sauvé pour rien.

Voyant Adelin dans le doute, il lui dit de cette voix douce qui était son naturel :

— Attends qu'il te fasse signe. Tu ne pourras pas te tromper.

19

Les semaines passèrent. Les arbres pleurèrent leurs dernières feuilles. De jour en jour, le froid se fit plus vif. La nuit, le gel mordait la terre à pleines mâchoires ou la pinçait seulement du bout des dents. C'était selon son bon vouloir. Au matin, talus et pâtures étaient recouverts de broderies blanches qui ne fondaient qu'à la mi-journée. Les herbes devinrent chaumes, les écorces durcirent et la sève reflua dans les profondeurs végétales. Ce n'était pas encore l'hiver du calendrier, mais l'automne avait déjà depuis longtemps abandonné la partie.

Puis le vent se mit de la fête. Tombé des sommets, il arrivait en courtes bourrasques, s'engouffrant sous les futaies et secouant les sous-bois. Il entrait partout en conquérant, laissant derrière lui son haleine froide, et repartait avec des volte-face qui faisaient craquer la charpente.

Chaque matin, le Vaudois sortait, une veste posée sur les épaules. La laine dont elle était faite boursou-flait en longues franges où s'accrochaient herbes et feuilles, brindilles et graminées.

248

Après avoir pris le pouls de la terre, il posait ses yeux sur les nuages et annonçait le temps de la journée. Après quoi il s'installait à la table de berger et partageait avec Adelin sa maigre pitance, faite de pain au cumin, d'oignons sauvages et d'une décoction de baies de cynorrhodon.

Un jour qu'Adelin lui demandait où il entreposait ses plantes, il lui indiqua du menton un vieux mazot de bois, enfoncé dans la pente comme une cale dans une poutre.

— Pour mes récoltes, j'ai jamais eu besoin de calendrier. Tu peux tout savoir d'une saison quand tu connais les plantes, les coups de vent et les orages, les tombées de grêle ou les gelées tardives. Chaque feuille a un visage, suffit de le regarder pour savoir si elle a bien vécu.

Adelin pensa alors aux plantes étranges suspendues sous les poutres de son réduit, aux racines tourmentées, aux champignons séchés, aux tiges rétives et rebelles qui s'y trouvaient réunies en fétus.

— Et celles-là ? demanda-t-il en désignant l'entrebâillement de la porte.

— Tu as remarqué ?

— Quoi donc ?

De plus en plus souvent, le Vaudois s'adressait à Adelin par questions ou énigmes. Il ne nommait plus les choses, mais énonçait leurs propriétés ou leur utilité, d'autres fois leur histoire ou leur caractère. Après, seulement, venaient le mot ou les explications. Il semblait à Adelin que le Vaudois voulait lui faire partager un peu de son savoir sans lui imposer les contraintes d'un apprentissage.

— Tout ce qui lutte pour vivre m'intéresse. Une racine qui contourne une pierre, une fleur estropiée par une brindille... Du moment qu'elles ont montré leur force et leur esprit rebelle, je leur fais une place à côté de moi.

— Pourquoi ça ?

— Des fois qu'elles veuillent bien me faire profiter un peu d'elles-mêmes.

Sur ces sujets-là, Adelin ne contredisait jamais le Vaudois. Il avait compris que le vieil homme glissait sans cesse d'un monde à l'autre. L'accompagner dans ses pensées menait sur des chemins trop escarpés pour lui. Pourtant, à l'écouter parler, il lui semblait parfois découvrir des évidences simples qui ensuite lui échappaient. Il avait beau se répéter les mots, l'idée ne revenait pas. C'était comme des fleurs de givre sur des carreaux. Il suffisait de s'en approcher pour les voir fondre à la chaleur de son souffle.

Peu à peu, des habitudes se prirent. Le Vaudois s'isolait souvent devant ses icônes. Il passait un temps infini à entretenir les lampes, les faire briller, les recharger en huile. Pareil pour les bougies ou du moins ce qu'il en restait. Il raclait d'une pointe de couteau les coulées de cire ou de suif, creusait des berceaux autour des mèches. Quand tout était conforme à l'idée qu'il se faisait de son sanctuaire, il demandait à Adelin de le laisser seul et s'enfermait dans le silence de ses prières pour le plus clair de la matinée.

Ce fut durant ces temps de solitude qu'Adelin

retrouva peu à peu le goût des sentiers. Beaucoup d'entre eux couraient à flanc de pente et traversaient les vallons herbeux ou emblavés, toujours à découvert. Malgré l'envie, Adelin jugeait imprudent de s'y aventurer, préférant une sente pierreuse qui s'engouffrait dans la forêt. Là, à l'abri des regards, il s'essayait à quelques prises de main et de pied sur de grosses dalles qui partaient en enfilade dans la pente. Une roche calcaire dont les failles et les grattons étaient recouverts d'humus et de mousse. Chaque jour, Adelin montait un peu plus haut, toujours à la force des bras pour permettre à son dos et à son torse de retrouver leur vaillance perdue.

C'était là, un peu en contrebas, qu'il avait repéré la veille des pieds de coprins chevelus. A la différence de la viande, dont le Vaudois ne voulait pas entendre parler, les champignons étaient admis à l'ordinaire.

Ecartant les branches, Adelin resta un instant le geste suspendu. Les frêles tubulures des pieds des coprins étaient toujours là, mais couchées au sol. Adelin refit de mémoire son parcours de la veille. Après avoir suivi la levée de terre, il était redescendu par le sentier le long des troncs d'épicéas. Au pire, il aurait pu écraser un pied, pas les six d'un coup.

Avec beaucoup de précautions, il descendit de la paroi, dos au vide. Arrivé au pied de la dalle, il posa un genou à terre et inspecta le sol.

La chair filandreuse des coprins était piétinée par endroits, éclatée, éparpillée. De la main, il dégagea l'endroit et tenta de rassembler les débris aux contours noirâtres. Il avait beau se dire qu'un hérisson ou un nocturne pouvait en être la cause, il ne parvenait pas à s'en convaincre. Examinant les herbes enchevêtrées, il constata que certains brins étaient froissés, d'autres écrasés. Preuve que quelqu'un avait marché à cet endroit.

Avec d'infinies précautions, Adelin inspecta les alentours. A quelques mètres de là, de longues châlées, pareilles à celles que l'on fait en marchant dans la neige, fendaient les herbes et s'enfilaient sous les arbres. Par endroits, les pas s'étaient arrêtés, l'herbe piétinée trahissait les hésitations sur la direction à prendre.

Avant de se faufiler entre les troncs, Adelin chercha une branche solide. Le bois mort fut écarté, trop fragile pour les coups portés à plat. Il voulait quelque chose de long, de sûr, terminé en fourche de préférence. Une arme plus qu'un outil, relevant à la fois de la hallebarde et du trident.

Il extirpa de sous un fouillis de ronces une branche de bois de fer. Un peu longue mais de bonne prise. Une sorte de lance comme en avaient les centurions. Il la soupesa, vite fait, pique en avant. Satisfait, il se remit en marche. Dans le terreau d'aiguilles, ses pas s'enfonçaient en silence. Tous les cent mètres, il s'accroupissait pour examiner les empreintes. Celui qui avait marché là ne s'était pas soucié des traces laissées, rassuré sans doute par l'épaisseur de la frondaison et la distance qui le séparait des premiers champs.

A mesure que l'on pénétrait sous les épicéas, la lumière se raréfiait. De fine, elle devint lacérée puis mouchetée. Au sommet des arbres, les aiguilles la tamisaient, ne laissant filtrer que les grains les plus fins. Adelin ne s'en souciait guère. Les yeux au sol, il suivait les empreintes, s'arrêtait, repartait avec, en tête, une idée de plus en plus précise de la direction dans laquelle se dirigeaient les pas.

Passé un grand vallon jonché de rochers moussus, il devina au-delà des arbres une sorte de surplomb où la lumière était plus franche. Avant même d'y être parvenu, il sut où il se trouvait. A main gauche, se dressait la cabane du Vaudois, à droite son mazot. On ne les voyait pas, les troncs faisant écran, mais il les savait là, l'un et l'autre accroupis dans la butte.

Tout en avançant, Adelin écoutait. Cette façon de faire lui venait de son père. S'isoler de tout, filtrer chaque bruit, exclure les plus intimes, jusqu'à son souffle et ses battements de cœur, et écouter, les sens à vif. Se projeter au-devant des sons, les isoler, les reconnaître et ne retenir que celui que l'on cherchait. Le silence était complice. A part le friselis du vent dans les aiguilles, on n'entendait rien.

Il s'approcha du bord du belvédère. Ici, on avait piétiné longtemps la veille, peut-être aussi les jours précédents. Les herbes étaient écrasées, malmenées, enchevêtrées. Un peu plus à gauche, les ronces avaient été écartées pour ménager une sorte de bauge à l'abri des regards. Un extraordinaire endroit pour observer les allées et venues autour de la cabane du Vaudois.

Adelin tenait sa branche à la manière d'une lance. Dans ses veines, son sang brassait la haine et la peur à parts égales. Avec, de temps à autre, une poussée plus forte qui lui faisait serrer les mâchoires et empoigner plus solidement sa branche.

Il était découvert, c'était maintenant une certitude. Restait à savoir par qui. La proximité de la frontière laissait place à toutes les hypothèses, les vengeances étaient possibles, les vilenies aussi. L'image du rougeaud resurgit avec ses yeux querelleurs et sa bouche tordue. Il pensa aussi à l'adjudant dont avaient parlé les gendarmes, au mari de Lucienne peut-être, rentré en permission et voulant laver un affront qui n'avait pourtant pas lieu de l'être.

Ce faisant, il s'était accroupi au sol. Ce fut là qu'il devina un peu à l'écart le départ d'une nouvelle piste. Bien marquée celle-là, et déjà ancienne à en croire la terre rabotée et la boue souillant les herbes. Un simple regard lui suffit à comprendre. La trace, presque une sente à cet endroit, tirait droit vers le mazot du Vaudois.

L'emprunter sans se faire voir fut aisé. L'herbe était encore haute à cet endroit, paillée et sèche au sommet des tiges. Pour garder un œil sur l'entrée du mazot, Adelin fit un détour en passant au large puis redescendit par le flanc de la pente. C'était une construction étroite faite de gros madriers assemblés en queue d'aronde. De loin, on les croyait noirs, de près ils étaient gris cendré.

Pour garder la construction à l'abri des rongeurs, on avait posé l'assise sur quatre pilotis, couronnés chacun d'une grande pierre plate. C'était comme ça depuis toujours. Ainsi, même les plus malins des loirs ou des campagnols y laissaient leurs forces et finissaient par renoncer aux réserves de grains entreposées à l'intérieur.

Adelin avança, sa fourche à la main. Sous le socle

de bois, ça sentait la terre sèche et la poussière de cave. L'oreille collée contre les madriers, il écouta. Le bois respirait mais ne craquait pas. Cela faisait des centaines d'années qu'il avait fini de se plaindre. Une fois vidé de sa sève, il avait pris son parti de s'arrêter de vivre, se transformant peu à peu en bois minéral, dur en surface, doux entre les veines. Adelin le sentait sous ses doigts et contre sa joue. Sans un bruit, il inspecta l'arrière du mazot. Puis à pas glissés descendit sur le côté. Il y avait là de la terre chauve, râpée par des pas, mais ce pouvaient être tout autant ceux du Vaudois que les traces de quelqu'un d'autre.

Toujours le même silence cousu de fils de vent. Parvenu sur le devant, Adelin découvrit trois pierres longues servant de marches palières. L'une d'elles bascula sous ses pas puis reprit sa place sans bruit. Plaqué contre la porte, il écouta encore une fois. En même temps, ses yeux cherchèrent la serrure, simple poignée de fer, surmontée d'une targette. Il suffisait de la lever pour entrer.

Adelin respirait à courtes goulées, le cœur sec et les mains moites. Dès l'instant où il avait découvert les traces dans les herbes, son corps s'était mis en position de combat. L'issue ne l'inquiétait pas, c'était de devoir défendre son peu de liberté qui l'insupportait.

Il approcha la main de la targette. Elle bougeait dans son logement. Il fit rouler sa fourche dans sa paume. La soupesa, la serra plus fort. Ouvrit la porte en retenant son corps.

A l'intérieur flottaient des senteurs, tanniques et balsamiques, fleuries et boisées, sucrées et poivrées ;

tout se mélangeait. Les plantes étaient partout, du sol au plafond. Suspendues en bouquets sous les solives, étalées dans des séchoirs de toile, entassées dans des paniers et des casiers d'osier. Sur des étagères étaient empilés d'autres bouquets, aux teintes passées et aux feuilles fripées, des bonbonnes paillées, des pots de verre fermés par des morceaux de papier huilé. Etaient réunies, dans une seille, des fleurs de grande gentiane jaune servant à préparer le quinquina des pauvres, appelé aussi jouvansanne. Une fleur dont la particularité était de ne jamais se fermer, ni la nuit, ni une fois coupée. Dans ce tamis de lumières, les formes et les couleurs s'épousaient, se mélangeaient puis se repoussaient.

En un instant, Adelin fit l'inventaire de la pièce, jeta un coup d'œil sur une sorte de mezzanine où l'on accédait par une échelle de meunier. Là-haut était entassé un bric-à-brac d'ustensiles et d'outils, puis il porta les yeux au sol. Là, il s'arrêta, la bouche en sifflet. Recroquevillé contre le mur, un corps était couché sur une toile de chanvre. Le visage était de profil, le corps de flanc. Seules les jambes, repliées en chien de fusil, dépassaient de sous un amas de sacs. Aux pieds, des godillots de pauvre facture, souillés de boue. Au cou, un fichu à pois rouges.

En approchant, une latte du plancher craqua. Adelin retint son pied, tira du cou pour mieux voir, s'avança dans les rais de lumière filtrant du toit. Il n'avait pas peur, seulement l'appréhension de devoir en découdre avec un inconnu. Ses lèvres formaient un rond d'étonnement. Quand elles s'ouvrirent, elles entraînèrent tout son visage dans la même interrogation. Ses yeux, son front creusé de rides, sa moustache en arc de cercle, tout indiquait l'incompréhension :

— Bon Dieu, mais qu'est-ce que tu fais là ? réussit-il à articuler.

Le corps remua. Bertille se dressa sur un coude pour voir qui lui parlait. Son regard était ensommeillé, sa mine surprise. Elle mit un instant à s'éveiller. Epousseta sa veste, effaça d'un revers de main les plis de sa robe. Quand ses doigts vinrent remonter ses mèches de cheveux, son geste avait la douceur du temps d'avant. Les yeux envahis de lumière, elle murmura sans artifice :

— Je voulais être sûre que tu n'étais pas mort.

Adelin laissa tomber sa branche, se pencha, posa un genou sur le plancher. On l'aurait cru au chevet d'un malade, prêt à le soulever dans ses bras.

— Y m'en faut plus que ça, fit-il, embarrassé de devoir parler, un peu confus aussi de se retrouver là.

Leurs sourires hésitèrent puis s'unirent bien avant leurs lèvres. Ce fut un mouvement lent qui les poussa l'un vers l'autre. De la retenue, il y en avait sans doute, de l'envie tout autant. Quand Bertille l'attira à lui en nouant ses bras autour de son cou, il l'entendit plusieurs fois murmurer le mot merci.

Après ce fut comme une averse en plein soleil. Tout brillait, ruisselait de lumière et d'éclats de joie. Dans les yeux de Bertille, des paillettes s'allumaient à chaque battement de paupières. Chaque fois que leurs corps s'enlaçaient, Adelin les entrevoyait, scintillantes et vives, puis elles disparaissaient dans l'attente d'un autre rayon qui viendrait les allumer de nouveau.

Sur les pommettes, au bas des cheveux, au pourtour des lèvres, les mêmes petites taches rousses étaient là. Adelin ne les avait pas oubliées. Il lui semblait qu'elles lui appartenaient comme une promesse en pointillé à laquelle il n'avait su répondre. Il caressait, embrassait, murmurait des mots qu'il avait crus oubliés.

Femme aimante mais réservée, Bertille avait seulement dénoué son mouchoir de cou, ouvert un bouton en haut de son corsage. Elle sentait sa peau frissonner chaque fois qu'Adelin en approchait la main ou les lèvres. Elle le regardait, le trouvait beau, restait muette sous ses caresses en se mordant les lèvres pour prolonger l'attente. Ses baisers se firent plus tendres, plus chauds, plus longs.

Incapable de se détacher de ces lèvres aimées, Bertille offrait tout ce qu'elle possédait. Ses pommettes, son cou, son front rosissaient. Elle le sentait à cette fine chaleur qui courait sur sa peau comme une brume ondulante en plein cœur de juillet.

Plusieurs fois, elle rejeta la tête en arrière avec infiniment de grâce, cabrant son cou, creusant son dos. D'entre ses lèvres quelques instants délaissées s'échappaient des mots susurrés, mi-feulements, mi-soupirs. Chaque fois qu'Adelin l'enlaçait et la serrait contre lui, elle sentait la vie se réveiller en elle. Comme jadis à la cabane des Chavonnes. Comme durant cette dernière nuit où ils s'étaient tout donné, tout promis.

Dans un élan du corps plus fort que la raison, ils s'unirent avec ces milliers de fleurs pour témoins.

Longtemps, ils s'aimèrent, passant tour à tour du flamboiement de l'or à la douceur de l'argent. Longtemps, ils restèrent les doigts noués. Puis les corps s'apaisèrent. Ni l'un ni l'autre n'osaient prononcer le premier mot. Celui qui les ramènerait à la réalité, aux interrogations, aux doutes aussi.

Bertille se redressa, reboutonna son corsage et posa sa main fine sur le visage d'Adelin. Elle cherchait à prendre confiance, s'enhardir avant de parler. Ses mots vinrent sans effort parce qu'ils étaient là depuis des semaines, comme une écharde ne voulant plus sortir.

— Et cette femme que tu as connue là-bas ?

Adelin hésita entre le demi-mensonge et la pleine vérité. Pas longtemps pourtant, juste le temps de se tourner pour affronter ce regard confiant en surface, inquiet à l'intérieur.

— Elle n'a jamais existé.

— Mais tu m'as dit...

— Je t'ai menti, fit-il après un temps d'hésitation, je n'ai pas trouvé d'autre moyen pour te mettre à l'abri.

— A l'abri de quoi ?

Sur l'instant, Adelin ne répondit pas. Les yeux plongés dans le profond du bois, il chercha des mots dont il savait par avance qu'ils ne seraient pas les bons. Trop faibles, trop pauvres pour dire ce qu'il avait vu et enduré. Il essaya pourtant après un soupir qui lui enroua la voix.

— Au front, j'ai vu des fois où on est partis à cent et rentrés à sept ou huit. Des copains écrabouillés, en miettes en deux secondes. Gradés ou hommes du rang, sitôt que tu passes les barbelés y a plus de différences.

Il lui posa la main sur la hanche pour se donner le courage de parler. Encore quelques mots, même si ça faisait mal comme quand on perce un furoncle en espérant un soulagement.

— Y a des hommes qui disparaissent d'un coup à côté de toi. L'instant d'avant, ils vivaient. Un coup de canon, un bruit assourdissant et ils disparaissent, plus rien. De la terre gluante, des bouts de tissu, de cuir ou de ferraille, mais eux y sont plus là.

Bertille écoutait sans mot dire, un peu changée, le buste fléchi, la tête droite. Au premier regard, on n'aurait su trop dire en quoi elle était différente. Quelques ridules autour des yeux, un sourire moins insouciant, un regard de femme déjà oublieux de l'enfance. Ses yeux s'agrandissaient en entendant les mots d'Adelin puis devenaient fixes. On aurait dit qu'elle entendait mais n'écoutait pas. Dans son regard, c'était pareil, il y avait un retrait, un repli à l'intérieur où elle semblait se réfugier.

Adelin expliqua encore : le dirigeable, les champs jonchés de corps en vrac, plats comme des fétus de paille, toute cette misère humaine qui abreuvait une terre déjà gorgée de sang. Et ces regards que l'on devinait implorant le ciel ou suppliant qu'on leur lance une corde depuis le dirigeable.

A bout d'horreur, Adelin s'arrêta et murmura :

— J'avais si peu de chances de revenir que je préférais que tu ne m'aimes plus.

Elle acquiesça des yeux.

Deux heures durant, ils restèrent ainsi tour à tour enlacés ou blottis, retrouvant ces gestes inventés, ces mimiques, ces regards qui faisaient jadis leur complicité. Lui voulait savoir : ses parents, le village, ce que l'on disait de lui, les mots vrais et tous les autres, Armand et son champ, le bois qui devait manquer. Elle répondait vite, parlant avec des mots courts, se gardant toutefois de dire tout ce qu'elle savait du rougeaud et de ses vomissures, et des recherches des gendarmes qui n'avaient pas vraiment cessé.

Adelin écoutait, notait les nuances et les hésitations. Après avoir tourné en lui plusieurs fois la question, il la laissa tomber, inquiet :

— Et dans la journée, qu'est-ce qu'il fait ?

— Il va, il vient, il ne sait pas trop lui-même.

— Mais le bois au moins, il l'a rentré ?

— Même pas. C'est ta mère et Armand qui s'y sont mis avant les pluies.

— Et le soir ?

— L'après-midi, il se met sur son banc et regarde le Criou pendant des heures jusqu'à ce qu'il fasse nuit.

— Pourquoi ça ?

— Il dit qu'il voit des lumières.

— Vous lui avez rien dit ?

— Non... Au début, on n'était pas tous d'accord. C'est Jean Foron qu'a décidé de ne pas y dire. Y a des fois où ça me peine de les voir comme ça, ta mère perdue comme un chat borgne et lui la tête qui s'en va un peu plus chaque jour.

— C'est pas la tête qui s'en va, s'insurgea Adelin.

— Les vieux, c'est ce qu'ils disent.

— Ils déparlent, tu les connais...

En prononçant ces mots, il lui prit le bras, serra avec des doigts nerveux. Juste pour montrer qu'il avait mal aussi, mais ne l'avouerait pas.

Bertille expliqua, raconta les allées et venues du maire, de plus en plus fréquentes, l'enquête qui piétinait, les planques des gendarmes. Après avoir usé ses mots à parler d'autre chose, elle comprit qu'Adelin ne lâcherait pas.

Avec infiniment de douceur, elle lui posa les mains à plat sur le visage et laissa son regard entrer en lui, aussi profond qu'elle le put, avant de murmurer :

— Pour moi, y leur laisse croire qu'il vire fou, mais c'est pas vrai.

— Va savoir...

— J'sais, dit-elle d'une voix assurée. J'ai pas osé en parler, mais j'sais.

Adelin se raidit. En Bertille, il découvrait une femme différente de celle retrouvée trois mois plus tôt. Son corps était demeuré fin et souple en dépit des travaux d'homme, auxquels elle ne rechignait pas. Ses gestes avaient gagné en assurance comme dans ces foyers où l'aîné remplace un parent disparu. Corps d'enfant qui prend sa tâche à cœur et donne aux autres ce que lui-même n'a pas reçu.

Il la regardait, nerveuse de corps et fragile de traits. Belle assurément avec cette peau piquée de son et ce sourire qui, même éteint, rayonnait encore.

— Qu'est-ce que tu sais vraiment, Bertille ?

— Voilà, fit-elle, ménageant son effet. Plusieurs fois, il est allé à Chamonix. Personne n'a jamais su pourquoi. Y s'fait conduire en chariot jusqu'à Cluses ou Sallanches. Y reste la journée là-bas et revient le lendemain dans la nuit.

— Et alors ?

— Après, il rentre par le col d'Anterne.

— Ma foi, ça fait long, mais s'il y trouve intérêt…

Bertille n'écoutait pas. Elle était dans son histoire où se bousculaient les détails en forme d'indices.

— La première fois, c'est Jean-Jean qui l'a vu, il portait un trépied sur l'épaule.

— Un trépied de quoi ?

— De bois, avec des pieds pointus et des charnières en cuivre. J'ai pas trop compris à quoi ça pouvait servir.

Adelin eut un mouvement de menton qui traduisait tout autant le doute que l'impatience d'entendre la suite.

— La deuxième fois, c'est moi qui l'ai vu. J'rentrais de la fruitière, où j'avais un peu babolé avec ma cousine. C'était déjà noir, y avait seulement un halo de lune. Grâce à ça, j'ai vu quelque chose de brillant dépassant de son sac.

Elle poursuivit, les yeux débordant de détails que ses lèvres avaient du mal à organiser.

— On a fait un bout de chemin, les deux. Enfin jusqu'à la patte-d'oie qui mène chez moi. Son sac, il l'avait passé sur l'autre épaule pour pas que je voie. Mais j'ai pu deviner quand même, c'était une longue-vue.

Là Bertille s'arrêta, triomphante. Les parenthèses de son sourire s'étaient ouvertes, prêtes à accueillir les mots qui voudraient bien y venir. Du regard aussi elle souriait, le coin des yeux en éventail et le brun des iris pétillant tout d'un coup.

— C'est pas tout, reprit-elle, impatiente. J'ai vu où il l'avait installée, sa longue-vue... derrière la porte du soli. Il la passe par l'ouverture en forme de cœur. C'est pour ça qu'y voulait pas qu'on monte du bois sur la galerie.

— Parce que tu fais le bois avec eux ?

— Un peu, pas souvent.

— Et ça lui sert à quoi, cette longue-vue ?

— J'ai remarqué aussi qu'il avait tracé des repères sur le garde-corps, des entailles au couteau, exactement dans l'axe de la grotte où t'étais.

— Bon Dieu...

— Tu vois qu'il n'a pas tourné fou.

— Si ça peut l'aider à supporter, lâcha Adelin, le dos lourd brusquement et la mine triste.

Il n'avait pas besoin qu'on lui décrive ces montées d'eau saumâtre contre lesquelles son père devait lutter. Il ne les connaissait que trop avec leur cortège de lourdeurs, de relents aigres et de trop-pleins qui refluaient parfois. Ces journées sans fin qui s'alignaient sans autre espoir que d'attendre la nuit où l'on ne dormait pas, suivie d'un matin où l'on ne vivrait pas.

Bertille laissa passer quelques instants à ne rien faire, ni de ses mains, ni de ses doigts. Elle les gardait posés sur sa robe, fixes, à l'inverse de ses yeux qui caressaient Adelin avec douceur.

Elle avait dit tout ce qu'elle savait. Tout ce qui méritait d'être retenu. Au-delà, c'étaient des terres mystérieuses où seul Adelin avait osé s'aventurer. Elle ne lui en voulait pas de ne pas être reparti au front. Secrètement, elle caressait même parfois l'idée que cette décision avait été dictée par l'amour qu'il lui témoignait. Elle rougissait alors avec cette montée de trouble qui la faisait se câliner dans la fraîcheur de ses draps.

Après un long moment, elle battit des paupières avant de demander d'une voix d'enfant :

— Tu m'en veux ?

— De quoi donc ?

— De t'avoir dit...

Il fit non de la tête, geste trop précipité pour ne pas être dicté par l'émotion.

Avec une assurance qu'Adelin ne lui connaissait pas, Bertille se leva pour remettre de l'ordre dans ses vêtements. D'ordinaire prompte à enlever d'un revers de main poussière et herbes séchées, elle accorda cette fois à ses gestes plus de temps que nécessaire. Robe, corsage et fichu furent détaillés, époussetés et vérifiés. Elle se savait sous le regard d'Adelin. Une douce chaleur l'avait de nouveau envahie. Elle voulait s'en réchauffer encore un peu, pouvoir s'en souvenir, s'y envelopper les jours où elle aurait trop froid.

Après un moment d'hésitation, elle leva son visage aux pommettes vernies. Il y avait au fond de ses yeux comme une demande qu'elle n'osait formuler. Un visage de petite fille pas très sûre d'avoir le droit.

Elle parla à mots précipités, un peu hachés. Expliqua qu'elle était venue en compagnie de Jean Foron, qu'elle le rejoindrait bientôt sur le chemin en lisière de bois pour repartir. Elle hésita un peu avant d'avouer qu'elle lui avait promis de ne pas se faire voir. Ces mots étaient doux à prononcer, mais granulaient en fin de phrase. L'essentiel restait à dire, elle le savait, n'y parvenait pas pourtant. Elle indiqua qu'elle projetait de revenir bientôt, convint d'un signal, le fichu à pois rouges noué à la porte du mazot, chercha encore quelques mots qu'elle espérait pétillants comme une poignée de bois sec sur un feu de veuve.

A court d'idées, elle passa ses bras autour des épaules d'Adelin et demanda d'une voix pâlie par l'émotion :

— L'anneau avec les grains d'orge, ça voulait dire quoi ?

Adelin mesurait deux bonnes têtes de plus qu'elle. Elle avait beau se hisser sur la pointe des pieds, ses brodequins de gros cuir l'empêchaient de gagner en taille. Adelin n'hésita pas, tant, pour lui, la réponse était évidente :

— Qu'un jour on se mariera.

20

Les jours passèrent, de plus en plus longs. Les nuits s'allongèrent, interminables. L'hiver en était pour une part responsable, mais le trouble éveillé par la venue de Bertille n'y était pas non plus étranger.

Quand, au matin, Adelin se levait pour ranimer les braises lui venait dans la bouche le goût de chez lui. La cheminée à potence où l'on suspendait le chaudron de fonte noire, l'odeur de fumée, celle du lard cuit ou des saucisses au chou. Plus les semaines passaient, plus ses souvenirs se ravivaient.

Dans les jours qui avaient suivi l'épisode du mazot, Adelin avait veillé à ne rien changer à ses habitudes. Il faisait montre de la même distance un peu bourrue, s'occupait de l'essentiel des tâches ménagères, à l'exception des soupes et des ragoûts de légumes, dont le Vaudois se réservait l'entière préparation. Rien n'était délégué, ni le choix des légumes, ni le tri des herbes, ni la surveillance de la cuisson. Il en était ainsi une ou deux fois par semaine dès l'aube.

Pour les autres repas, on réchauffait, on allongeait, on relevait avec des poignées d'herbes sèches ou des pincées de poudre que le Vaudois conservait dans des pots en terre cuite, à l'abri de la lumière. Il y avait dans ces préparatifs quelque chose de rituel auquel Adelin avait plaisir à assister.

Plusieurs fois, il revint au mazot en compagnie du Vaudois pour faire provision de plantes et de racines. Une commande de tanaisie se préparait et Adelin donnait souvent la main pour mettre en sacs des brassées de fleurs appelées selon les cas herbe de saint Marc, herbe aux vers ou sent-bon. On en avait un usage fréquent, tant domestique que médical. Dans les maisons, on en suspendait des bouquets pour chasser les mouches, dans les penderies et les armoires, elles éloignaient les mites, et, sous les matelas et dans les niches de chiens, tuaient les puces.

Médicalement, la plante avait aussi ses vertus. Bue en infusion, on la disait efficace pour les digestions difficiles et les maux de ventre. On la donnait aussi comme remède miracle pour calmer les rages de dents, tuer les vers intestinaux, apaiser les douleurs menstruelles et les poussées de rhumatismes. Son odeur forte et suave était convaincante. Pour le reste, il suffisait d'y croire et de se conformer à une utilisation privilégiant les sommités fleuries et les semences.

Chaque soir, tandis que ses mains égrenaient les fleurs de tanaisie, le Vaudois interrogeait du regard, sans rien demander, en respectant les silences et les soupirs.

Plusieurs fois Adelin mélangea sans y prendre garde les fleurs et les tiges. Il fallut vider le sac, refaire le travail, veiller plus tard que prévu.

A aucun moment le Vaudois n'eut de mots durs ni de mouvements d'humeur. Il prenait sa part de labeur sans rechigner. Quand ils attaquèrent le dernier ballot, la nuit était déjà à sa moitié. Pesamment, le Vaudois se leva et se dirigea vers son banc-coffre, d'où il sortit sa bible. Il la feuilleta, cherchant une feuille glissée entre les pages. Quand il l'eut trouvée, il regarda Adelin avec une intensité inhabituelle.

— Il me faut reprendre des forces, dit-il comme pour se justifier, et il commença de lire à haute voix : « Apprends-moi, Seigneur, à bien user du temps que tu me donnes pour travailler et à bien l'employer sans rien en perdre. Apprends-moi à tirer profit des erreurs passées sans tomber dans le scrupule qui ronge. Apprends-moi à prévoir le plan sans me tourmenter, à imaginer l'œuvre sans me désoler si elle jaillit autrement. Apprends-moi à unir la hâte et la lenteur, la sérénité et la ferveur, le zèle et la paix. Aide-moi au départ de l'ouvrage, là où je suis le plus faible... »

Il poursuivit avec des mots prononcés de plus en plus bas. De feutrée, sa voix était devenue murmurante. Seuls quelques morceaux de phrases jaillissaient par instants, éclaboussant le silence de leur sonorité plus grave. Il parla d'espérance, de savoir, de perfection. S'arrêta brusquement pour dire d'une voix rauque :

— « Seigneur, purifie mon regard. Quand je fais mal, il n'est pas sûr que ce soit mal et, quand je fais bien, il n'est pas sûr que ce soit bien. »

Après quoi, il resta un moment à ne rien dire, à remâcher ses mots un à un. Puis, sans prévenir, referma sa bible en la claquant et annonça :

— C'est la prière de l'Artisan. Elle nous concerne tous à un moment ou à un autre.

Adelin ne broncha pas. Il savait ces mots prononcés pour lui. S'en voulait de rester insensible à la manière dont le Vaudois tentait de lui faire comprendre les choses. Autant dans les premières semaines il avait trouvé du réconfort dans ces phrases souvent énigmatiques, autant, aujourd'hui, elles lui pesaient.

Le tri des plantes se fit en silence. Le Vaudois travaillait le front baissé, les paupières tout juste fendues. Plusieurs fois, il s'arrêta pour écouter. Il semblait sur ses gardes, flairant quelque chose d'inhabituel.

— T'entends ? demanda-t-il après un moment d'hésitation.

— Quoi donc ?

— Le vent, il ne vient pas de la vallée, mais du ciel.

Dans une sorte d'attitude polie, Adelin fit mine de tendre l'oreille.

Il y avait bien comme un chuintement sur les arêtes du toit, quelque chose de doux et d'effilé. Rien d'inquiétant, un murmure, une respiration.

— C'est un vent lourd, poursuivit le Vaudois. Ça ne m'étonnerait pas que ça nous amène la neige.

A mesure que s'égrenaient les minutes, le vent prit de la force. Il arrivait en grosses vagues puissantes qui giflaient la cabane, plaquant les volets et remuant la porte. Les deux hommes travaillaient plus lentement, prenant le temps, entre deux gestes, d'écouter et d'évaluer la prochaine gifle. Elles venaient par salves. A peine l'une d'elles avait-elle faibli qu'une autre prenait sa place. Sur les angles vifs des tavaillons, le vent s'écorchait, se déchirait puis finissait en miaulements. Sur le pignon, c'étaient des coups de boutoir que le vent envoyait.

Le Vaudois travailla longtemps la tête baissée. Il ressassait quelque chose en secret. Le vent et l'arrivée de la neige semblaient le contrarier mais ce n'était pas l'unique raison de sa mine rembrunie. Depuis un bon moment, ses mains semblaient moins habiles. Son dos, d'ordinaire raide et droit, était posé de guingois contre le dossier. Après bien des hésitations, il finit par lâcher :

— Je ne devrais pas t'le dire, seulement, avec la neige, on va sans doute au-devant d'ennuis.

Adelin continua d'éplucher ses plantes du même geste, attendant que les mots fussent plus consistants.

— Voilà, fit le Vaudois, la commande de plantes, c'est pour l'homme qui t'a amené ici.

— Jean Foron ?

— Oui. Et à c't'heure, il est en route depuis longtemps.

— Y a pas à s'inquiéter, rassura Adelin, il connaît la montagne comme personne. Si ça se met à tomber, il saura trouver une cabane ou un trou de rocher pour s'abriter.

— C'est pas pour lui que j'me fais du souci mais pour la jeune femme qui l'accompagne.

— Bertille ?

Le prénom avait jailli comme un cri. Sans un mot, Adelin repoussa des deux mains son tas de plantes et se dirigea vers la porte. En l'ouvrant, une volée de vent s'engouffra dans la pièce, suivi d'une autre qui dispersa feuilles et fleurs partout sur la table et le plancher. Dans son verre, la flamme de la lampe faillit s'étouffer puis repartit en charbonnant. Pendant quelques instants, Adelin maintint la porte entrouverte pour tenter d'apercevoir le ciel.

On ne voyait rien. La nuit et les nuages ne faisaient qu'un. Tout était mélangé en une grosse masse épaisse que le vent pétrissait à sa guise. Même la levée de terre pourtant distante d'à peine vingt mètres était invisible, enfouie sous des hampes de brume et de brouillard.

Adelin referma le vantail d'une claque.

— De Dieu, et le brouillard qui tombe...

— La neige va suivre, prédit le Vaudois d'une voix sentencieuse donnant à ses mots valeur de vérité.

La remarque accabla Adelin. On le sentait en proie à l'inquiétude, à la fatigue et au découragement. Impuissant à agir, il allait dans la pièce d'un bout à l'autre, faisant des pas de la longueur d'une enjambée. Au bout d'un moment, il cessa son manège et annonça d'un ton résolu :

— Les plantes, ça va bien pour ce soir, moi je vais me coucher.

Devant le mutisme du Vaudois, il joignit le geste à la parole, amassa tout ce qu'il y avait devant lui de fleurs et les fit tomber dans un sac.

Le Vaudois s'était arrêté, les deux avant-bras posés sur la table. Ses sourcils d'ordinaire buissonnants étaient cabrés en accent circonflexe.

— J'peux savoir ce qui t'arrive ?

— Y a que je vais partir à leur rencontre, dès le lever du jour.

Le vieil homme ne fut pas surpris par la réponse. Ses mains se portèrent à son front, puis restèrent à masser les tempes comme pour en éloigner le mal. A chaque mouvement, la peau se plissait, entraînant avec elle les mèches givrées de ses cheveux.

— A ta place, j'y réfléchirais à deux fois. La montagne d'ici, tu ne la connais pas.

— Jusqu'au col, je sais par où passer. Après, j'trouverai bien un abri pour les attendre.

— Suffit d'un rien pour se perdre. Avec le brouillard, le vent en rafales, y a des fois où tu ne sais plus où tu es. Tu marches en rond sans même t'en rendre compte.

— Je m'y repérerai à l'œil.

— Avec la neige, c'est guère possible...

Très vite la discussion tourna court. Devant la détermination affichée par Adelin, il ne resta au Vaudois qu'à proposer de l'aide et prêter ce qu'il pouvait de vêtements. Ce qu'il fit de bonne grâce mais avec une lenteur calculée, des fois qu'Adelin changeât d'avis. D'abord, il nettoya la table de toutes ses brisures de plantes, ficela les sacs et les tira contre le mur puis s'en fut au fond de la pièce. Il y avait là une espèce de caisse à laquelle Adelin n'avait jamais prêté attention. Ni malle, ni valise, elle était corsetée de baguettes de cuivre et s'ouvrait par le dessus à la manière des coffres de marine.

Il farfouilla longtemps à l'intérieur, entassant sur un bras ce qui lui semblait utile, renonçant au reste.

Quand il jugea ses trouvailles suffisantes, il revint vers Adelin et déposa sur la table un fatras de vêtements, de cordes et de crochets. Une odeur de vieux s'en dégageait, mélange de poussière et de moisi.

— Sont pas tout neufs, reconnu le Vaudois en dépliant une veste de gros drap beige.

Il l'étira par les épaules, la présenta à bout de bras et demanda avec un plissement d'œil :

— C'est pas loin d'être ta taille ?

— Ça se pourrait.

Après quoi il déroula une paire de jambières en toile. Epaisses et toutes ridées.

— Pour la neige, annonça-t-il d'un air satisfait.

— Des gamaches ?

— Nous, on dit des jambières. Sèches comme de la pierre à feu, fit-il en les décollant l'une de l'autre.

Il passa son doigt sur la toile, vérifia les coutures en forçant avec les doigts et ajouta :

— Je m'en vais te les préparer pour demain avec une couche de suif et de la bougie sur les coutures. Même avec de la neige jusqu'au ventre, t'auras les pieds au sec.

Il dressa un inventaire rapide des besoins et de la manière d'y répondre. Tout n'y était pas : casquette à oreilles, passe-montagne et sac à dos manquaient.

Après réflexion, il décida de réunir deux musettes pour n'en faire qu'une. Les bandoulières feraient office de bretelles, les rabats aideraient à supporter les cordes. Ses mains allaient vite d'un vêtement à l'autre, abandonnant un objet pour se saisir d'un autre.

Pour les cordes, il s'y reprit à plusieurs fois, insista pour qu'Adelin, plus fort que lui, en testât la solidité. Celui-ci en fit plusieurs anneaux, les soupesa, les passa en bandoulière pour apprécier leur souplesse. Peu convaincu, le Vaudois l'obligea à les passer autour de la poutre faîtière et à s'y suspendre. C'était de la corde de chanvre tressée à l'ancienne, solide tant qu'elle n'était pas mouillée. Peu sûre dans la neige, dangereuse par temps de gel. Malgré le poids, Adelin décida d'en prendre deux longueurs, qu'il noua bout à bout.

Quand tout fut vérifié, le Vaudois entassa vêtements et matériels sur son lit. D'un coup d'œil, il refit l'inventaire puis engagea Adelin à aller se coucher.

Longtemps, Adelin écouta le vent brasser la nuit. Il miaulait sur les arêtes du toit et se déchirait sur les flèches des grands épicéas là-bas en lisière de forêt. Il imaginait Bertille recroquevillée sur sa paillasse au fond d'une cabane, ou blottie dans un creux de rocher. Jean Foron éveillé, inquiet sans doute de s'être fait surprendre par le brouillard, peut-être déjà bloqué par la neige.

Plusieurs fois il sentit venir le sommeil mais le repoussa pour demeurer encore quelques minutes avec eux. Il lui sembla à un moment que le vent était en train de tourner. De franc nord, il venait maintenant du levant, moins têtu, moins mordant. Un crépitement sur les bardeaux du toit lui fit tendre l'oreille et fermer les paupières.

Quand au matin le Vaudois le réveilla, il comprit à sa mine que la neige était là.

— Y en a épais ? s'inquiéta-t-il tout de suite.

— Ça s'est mis à tomber sur le matin.

— Combien ?

Le Vaudois montra avec sa main. Se servant de son index comme d'un curseur, il le fit remonter jusqu'à hauteur du poignet. Hésita puis précisa avec le souci d'être complet :

— Ici, ça tombe toujours moins, c'est pas comme là-haut.

Adelin entrouvrit la porte.

La neige était bien là. Une neige fine de début d'hiver, aux flocons serrés et rapides. Une neige de dentelle dont les jours laissaient passer une lumière grisâtre, semblable à l'eau d'un premier rinçage. Par endroits, se formait un tapis encore inégal d'où émergeaient les restes secs des herbes d'automne. Les replis du sol étaient déjà comblés par le gros des flocons.

Des yeux, il parcourut un repli de terre déjà tout arrondi de neige pour aller jeter un coup d'œil vers la vallée. On ne voyait rien. Entre les lueurs blanchâtres de l'aube et le rideau à gros pois blancs qui se déroulait, il n'y avait plus place ni pour les formes ni pour les contours. Mais on devinait sans peine au silence étouffé que partout il neigeait.

Les préparatifs se firent sans hâte. Adelin mangea chaud, une soupe épaisse mise à cuire durant la nuit. Du pain avait été coupé en dés que l'un et l'autre jetaient dans leur assiette à mesure qu'elle se vidait. Pas un mot ne fut échangé. Un regard de temps à autre, un raclement de gorge, un soupir parfois dont personne n'aurait su dire ce qui le motivait. Quand tout fut prêt, le Vaudois apporta une gourde de bois sertie de fils d'étain ou de plomb.

— Pour toi, dit-il, un peu confus.

Devant l'hésitation d'Adelin, il confirma en la tendant :

— Tu risques d'en avoir besoin par ce temps.

Adelin s'apprêtait à remercier quand il vit le Vaudois piquer du nez et s'arrondir du dos. Ses bras le retinrent. A deux mains, il se prit la tête, pareil à un homme perdu dans ses pensées, hésita un instant avant de lâcher, la voix presque cassée :

— Sois prudent, Adelin. Là-haut je n'ai pas besoin de te dire que ça ne pardonne pas.

Adelin était remué. Jamais il n'avait vu le Vaudois flancher. Jamais non plus il ne l'avait entendu l'appeler par son prénom.

Le vieil homme fit effort pour se reprendre et montrer un visage ordinaire. Puis, gonflant ses joues pour mimer l'impuissance, il lâcha d'une traite :

— Avant de vivre ici en ermite, j'ai été guide. Pendant des années, j'ai couru tout ce que les montagnes comptaient de sommets, ici et par chez toi aussi. Y en a pas beaucoup qui m'ont résisté. Je n'avais pas de limites, tant que mes forces étaient là, j'y allais. Et puis une fois... C'était un jour de neige comme aujourd'hui. Une grosse neige lourde de fin d'hiver. J'ai pas vu que j'étais sur un pont de neige. Je suis passé, tout allait bien, mais, quand celle qui aurait dû devenir ma femme s'est avancée, c'est là que tout a cédé.

Le Vaudois marqua un temps et regarda Adelin

avec un regard venu du dedans. Puis, cherchant à bien dessiner chacun de ses mots, il poursuivit :

— Le corps qui se cabre, la corde qui file entre tes doigts, le choc que tu attends sans savoir comment il va se produire. Ça ressemble à une détonation, une corde qui casse, et ça finit à tes pieds, mou comme un serpent.

Le Vaudois parla encore quelques instants en s'affairant autour des musettes et des cordes. Il était question du passage qu'il ne fallait pas manquer après le bois, d'un défilé verglacé et ensuite du débouché vers les hautes terres. Là où la neige devait tomber en abondance.

Quand tout fut prêt, Adelin enfila la grosse veste de toile beige, qu'il ferma d'une ceinture, passa les musettes sur son dos et se harnacha des deux cordes croisées en baudriers. Pour se protéger de la neige, il se coiffa d'un chapeau de feutre dont les bords étaient cassés sur le cou et roulés sur le devant.

Sans raison, il pensa à son père à cet instant. A la manière qu'ils avaient de se préparer avant une course, de vérifier chaque fois le matériel et les vivres, de déchiffrer les silences ou les éclats de voix. Son visage était devant lui, raide et dur en surface, plein de bonté à l'intérieur.

Avant de sortir, Adelin tendit la main au Vaudois. Sous le roncier de ses sourcils, ses yeux étaient tapis, bien à l'abri des regards. Sa main répondit avec un temps de retard puis il saisit Adelin par les épaules et lui souffla avec un peu de gêne dans la voix :

— Prends bien garde, mon gars. J't'ai vu plusieurs

fois sur les dalles là-haut, c'est pas la force qui te manque... mais en hiver faut aussi sa part de chance.

Sitôt la porte ouverte, Adelin sentit le poids de la neige.

Les flocons tombaient dru, descendant le long des fils invisibles d'une immense toile. Le vent avait faibli. Seule de temps à autre une bouffée plus forte venait perturber ce tissage impeccable.

Dans les lacets du chemin, Adelin n'eut aucune peine à faire la trace. A l'œil, il se repérait à la silhouette grise du mazot que l'on devinait tassé dans la pente. Plus loin, la forêt étalait ses ombres lourdes, indiquant le début du couvert. Partout régnait un silence épais où les pieds s'enfonçaient sans le moindre bruit.

La montée jusqu'au chemin se fit à bon pas. Adelin allait à son rythme, sans effort. Au dernier moment, il s'était muni d'une longue canne dont le Vaudois se servait pour tirer à lui les ballots de plantes entreposés dans le mazot. Faite de bois noueux, elle était terminée par un croc métallique lui donnant des airs de hallebarde.

Après la forêt, il entra sur des terres inconnues. Le Vaudois avait dit vrai, le débouché se faisait par un long corridor rocheux à l'haleine froide et noire. On ne s'attardait pas à cet endroit. Il fallait forcer sur les jambes et les reins pour en sortir vite et atteindre les premières rampes d'un plateau râpé par le vent.

Arrivé à hauteur du col, il inspecta la neige, à la recherche de traces. Rien sur ce qu'il estima être le chemin. Il se déplaça un peu à main droite vers un bouquet d'épicéas indiqué par le Vaudois. A mesure qu'il approchait, leurs silhouettes altières semblaient s'éloigner. Et puis brusquement, il fut sur eux.

Le vieil homme avait vu juste. A leur pied, la neige avait été piétinée, souillée de pas et de sabots. Adelin les suivit jusqu'à une petite combe protégée par des sapins.

En premier, ce fut la mule qui attira son attention. Elle était attachée à un arbre, plusieurs épaisseurs de sacs posées sur le dos. En le voyant approcher, elle tira sur sa longe et gratta du sabot. Devant le peu de résultat obtenu, elle poussa un court hennissement qui lui fit tressaillir les muscles de l'encolure. Aussitôt apparut une silhouette, petite, tout engoncée dans des habits d'hiver.

Bien avant de l'avoir rejointe, Adelin sentit son cœur cogner. A sa façon d'avancer les jambes dans la neige, à sa manière de chalouper des épaules, il sut tout de suite que c'était elle. Ses pas se firent plus rapides. Les siens devinrent enjambées.

D'elle, il ne vit d'abord que son regard, pétillant dans toute cette grisaille. Sur ses sourcils, quelques flocons restaient suspendus entre neige et eau. Son front était trempé, ses mèches échappées de son fichu, collées dessus. Quand ils s'étreignirent, il sentit tout de suite que son sourire était forcé.

Elle grelottait sous sa pelisse de drap épais. Les épaules et le dos étaient croûtés de blanc, indiquant que le tissu était gelé. Elle essaya de l'épousseter. Sans résultat. Tira son fichu vers l'avant à la manière d'une cornette et parla d'une petite voix étirée par le froid.

— J'allais partir, fit-elle, je tiens plus ici avec ce vent.

Des yeux, elle accusa son feu d'où s'élevait une pauvre fumée bleue. Les branches de sapin posées sur des pierres rondes étaient à peine consumées. Autour, quelques brandons, échappés du foyer, gisaient dans la neige, déjà à demi recouverts.

— Et Jean Foron ?

— Il n'est pas là...

— Comment ça ?

— Adelin, faut pas que tu te fâches, dit-elle en laissant déraper sa voix, c'est moi qui ai décidé toute seule.

— Décidé quoi ?

Elle s'approcha, cherchant son regard pour y prendre appui. Sa taille, sa force, son visage osseux, tout la rassurait chez cet homme qu'elle avait pourtant connu à l'âge de l'école. Elle déglutit avant d'annoncer :

— Ton père a disparu voilà deux jours. Il est parti avant-hier matin. Depuis, on ne sait pas où il est.

Adelin se tassa d'un coup. Tout se fit dans un même mouvement : la nuque, le dos et les jambes. Sur l'instant, il parut ne pas mesurer la gravité des mots prononcés par Bertille.

— Parti où ?

— A ta recherche.

Ces derniers mots finirent de l'assommer. Le buste s'affaissa, les bras suivirent, lui donnant une allure de pantin. Il s'efforça de n'en rien laisser paraître. Et puis, avec la même détermination que celle affichée jadis dans l'épreuve, il fit un pas vers Bertille, la prit par l'épaule et la mena sous la bâche tendue entre les troncs de sapins. Là, il la fit asseoir sur une souche. Son esprit était en déroute, mais étonnamment ses gestes, ceux d'un homme sûr de lui.

Il se défit de ses cordes et de ses musettes, sortit une tranche de pain de l'une des poches, sa gourde suivit. Du pied, il poussa les restes de branches sur le feu et les couvrit de brindilles sèches. Les flammes hésitèrent un instant avant de reprendre haleine en dispersant des volées d'escarbilles.

Bertille grelottait toujours, les mains cachées entre ses genoux. Elle gardait les mâchoires serrées, leur évitant ainsi de claquer. Adelin s'en aperçut.

Débarrassant la mule de son tas de toiles de sac, il prit celle posée sur la peau, la plia en carré et la porta à Bertille :

— Quitte ta pelisse, elle est trempée.

Tandis que la jeune fille se couvrait les épaules, il passa un autre sac au-dessus des flammes. Il l'approchait au plus près jusqu'à en faire griller les fibres, l'ouvrait pour y faire entrer la chaleur, le retournait comme une viande sur la braise. Une fois la toile bien chaude, il en enveloppa Bertille. Il y avait de la reconnaissance dans ses yeux, et tout au fond, brillant comme un tison, une pointe d'interrogation.

Dans l'une des sacoches de bât, Adelin trouva une hachette. En quelques instants, il amassa un fagot. Coupées au ras du tronc, les branchettes d'épicéa étaient sèches et dures, prêtes à s'enflammer et à faire repartir le feu. Il entassa le tout sur les braises, attisant les flammes à l'aide d'un sac plié en deux. Quand il jugea la reprise suffisante, il vint s'accroupir à côté de Bertille.

— Qu'est-ce qui te fait croire qu'il est parti à ma recherche ?

— Ta mère, c'est elle qui nous a avertis.

— Bon Dieu, ça l'a pris d'un coup, sans prévenir ?

— Il en parlait depuis plusieurs jours... C'est la menace de la neige qu'a dû le décider.

— Qui d'autre est au courant ?

— Jean Foron. Il est parti dès qu'il a su.

— Et à part lui ?

— Anselme est monté aussi. Les autres n'ont pas osé à cause du temps.

— Je les comprends, murmura Adelin, comme se parlant à lui-même.

Devant ses yeux s'était dressée la face abrupte du Criou. De mémoire, il en redessinait la pente et les escarpements, les ressauts rocheux, les corniches effritées et les empilements de l'arête sommitale. Couverte de glace, la roche devait être insaisissable par ce temps, le surplomb verglacé sur toute sa longueur.

Il leva les yeux. Au contact du froid, sa respiration se transformait en vapeur blanche qui lui voilait la vue. Il avait beau souffler pour faire voler les flocons empêtrés dans ses cils, il en venait toujours de nouveaux, plus gros, plus larges. Le vent semblait moins fort. Mais là-haut, sur les arêtes du Criou, il devait se déchaîner, giflant la roche de ses millions d'aiguilles qui perçaient la peau, même à travers les gants.

Plusieurs fois, Adelin fut sur le point de parler. A grandes lignes, un plan s'échafaudait dans sa tête. Il en voyait le début : son retour à marche forcée vers Samoëns, la remontée par le couloir d'avalanche puis la recherche dans les éboulis, là où son père s'était sans doute rendu en premier.

— Le plus simple, dit-il en se tournant vers Bertille, c'est que tu descendes chez le Vaudois, pour te réchauffer. Je reviendrai te chercher plus tard.

Elle le regarda de loin comme à travers une vitre épaisse. Son regard était dur, ses mots aussi quand elle répliqua :

— J'ai pas fait tout ce chemin pour t'entendre dire ça.

Le ton cassant de sa voix la surprit elle-même. Adelin la connaissait déterminée lorsqu'il fallait défendre son bon droit ou ses maigres biens. On la disait volontaire, obstinée parfois. Jamais il ne l'avait vue ainsi le buste raide, la tête haute, figée dans une attitude de refus.

— T'es pas de force pour repartir, continua-t-il, t'as même pas dormi.

— La fatigue, ça passe en marchant et le froid aussi.

— En admettant, et après ?

— Après je t'accompagne pour rechercher ton père.

— T'y penses pas.

— Si. C'est même pour ça que je suis ici.

Adelin essaya de la convaincre, expliquant ce qu'il savait de la roche verglacée, du froid, de la neige lourde et instable dans le couloir. Elle écoutait tête baissée, insensible aux arguments. Elle laissa passer un long temps de silence durant lequel Adelin espéra l'avoir ramenée à plus de raison. Quand il la vit se lever et s'approcher de lui, son sac sur les épaules, il comprit que les dés n'étaient pas tombés du bon côté. Comme pour une plaidoirie, ce fut au registre des sentiments qu'elle alla puiser ses mots :

— J'ai failli te perdre, Adelin. Si je n'avais pas été là, tu serais mort à c't'heure. Alors, cette fois, j'te laisserai pas aller seul...

— T'es pas de force, Bertille.

— La force, ça fait pas tout. Y a bien des femmes qui vont au Buet et au mont Blanc.

— Avec des guides et des porteurs, pas seules.

— Pas toutes. Marie Paradis[1], elle était plus vieille que moi quand elle y a fait.

Adelin leva les sourcils d'étonnement puis posa ses yeux sur Bertille. Ses joues s'étaient empourprées brusquement, brunissant ses taches de son et accentuant les cernes de ses yeux. Ses traits semblaient reposés pourtant après cet échange dont elle-même ne pensait pas sortir victorieuse.

Le temps de plier les sacs, rouler la bâche et harnacher la mule, la neige se mit à tomber de biais. Une petite neige cinglante qui fouettait par le côté et

---

1. Marie Paradis est la première femme à avoir gravi le mont Blanc. Simple paysanne, elle ne recherchait ni l'exploit ni la notoriété en suivant des amis guides qui l'entraînèrent sur le toit de l'Europe. Son exploit passa presque inaperçu, à l'inverse de celui de mademoiselle Henriette d'Angeville, qui réussit elle aussi l'ascension mais seulement trente ans plus tard.

s'incrustait partout. Le cou, les oreilles, le coin des yeux, rien n'était épargné.

Adelin marchait devant pour faire la trace, tête baissée, tenant la mule par le bridon. Derrière, Bertille suivait, jugeant au coup d'œil l'endroit précis où devait tomber son pied. Chaque fois, il s'emboîtait dans l'empreinte laissée par Adelin. De temps à autre, il tournait la tête pour demander du regard si tout allait bien.

Pour toute réponse, Bertille avait un hochement de tête qui semblait dire :

« Allez, avançons, ne perdons pas de temps. »

Ils marchèrent longtemps entre neige et brouillard. Du ciel ou de la brume, on ne savait plus lequel prenait le pas sur l'autre. Tous deux se disputaient le sommet des sapins pour en gommer les pointes. Ainsi redessiné, le faîte des arbres ressemblait à des clochers dont une main impie aurait effacé les croix.

A la mi-journée, ils s'arrêtèrent au pied d'un bosquet de sapins noirs. Tout de suite, Adelin bouchonna la mule à l'aide d'une poignée d'aiguilles sèches puis la couvrit de plusieurs épaisseurs de sacs. Bertille ne parlait pas, recroquevillée sur son morceau de pain qu'elle mâchonnait sans appétit, les yeux perdus au-delà du rideau de neige.

Adelin essaya d'allumer un feu, en vain. Le vent ligué à la neige empêchait les flammes de respirer. Même protégées entre les mains, elles s'étouffaient, sans espoir de reprise. Et partout autour d'eux, un silence épais. La neige avalait sons et paroles, et ne les rendait pas.

Tout juste réchauffés par quelques gorgées d'alcool, ils se remirent en route peu après. Adelin ne connaissait pas ce haut plateau. Après en avoir discuté avec Bertille, ils décidèrent de s'arrêter pour la nuit à la cabane Quartéry. La jeune fille était sûre de la direction, pas certaine de la distance.

Longtemps, ils sabotèrent dans une neige de plus en plus épaisse dont ils ne parvenaient plus à éviter les pièges. Au-delà de quelques mètres, on ne voyait rien. Rien d'autre qu'une brume molletonnée sur laquelle glissaient inlassablement des millions de flocons. Tout proches, on devinait parfois des sapins à leurs plis sombres encombrés de neige. De la main, on avait envie de secouer le tout pour ramener un peu de clarté dans le paysage.

Il fallut encore marcher longtemps avant que Bertille indiquât de la main la direction d'une petite combe. A l'abri d'un surplomb de roche, se dressaient deux cabanes d'inégale hauteur. L'une d'elles servait de miche à foin. Adelin y installa la mule après l'avoir débarrassée de ses couvertures gondolées par le gel. Des poignées d'herbes sèches lui servirent à la bouchonner, à la nourrir, à la rassurer.

Pendant ce temps, la jeune fille suspendit sur une perche sa pelisse d'hiver, la veste d'Adelin à côté. Dans ce geste simple, elle puisait la force de ne pas se plaindre.

La cabane n'était qu'un simple abri. Utilisé l'été par les bergers, il disposait de quatre bat-flanc, recouverts de paillasses d'herbe. Au mur, une étagère où trônait une cafetière sans anse, un empilage de plusieurs

écuelles de bois et des cuillères rondes à manche
recourbé. Bertille inventoriait des yeux, ne disait rien.

Adelin entra, enveloppé d'une bourrasque de vent
duveteux.

— Ça tombe fort, dit-il, on risque d'être bloqués
pour plusieurs jours.

Pour lui, c'était l'annonce d'une épreuve à laquelle
il fallait se préparer, rien de plus. Ne se lisait aucune
inquiétude dans sa voix, ni sur son visage. Il était là,
le buste légèrement fléchi, sachant ce qu'il fallait faire,
comment se protéger du froid et échapper à l'hiver.

Bertille sentit monter en elle une bouffée de bonheur qu'elle réfréna aussitôt. Elle s'interdit le moindre
élan tant qu'ils ne sauraient pas pour le père d'Adelin.
C'était comme ça, elle n'aurait su dire pourquoi.

A l'aide de sa canne de marche, Adelin réussit à
déplacer la pierre plate posée sur le haut de la cheminée. Quand les premières flammes s'élevèrent, une
grande paix les envahit. La fatigue avait creusé son lit
dans les corps, l'inquiétude guettait les âmes, mais ils
étaient unis dans l'épreuve, pour la première fois
depuis trois ans.

La nuit leur parut douce malgré le froid. Le corps
collé contre celui d'Adelin, Bertille avait fait comprendre sa retenue d'un geste tendre. Puis avait parlé,
murmuré et gémi avant de s'enfoncer dans le sommeil. Adelin eut beau faire tous les efforts pour la
rejoindre, il n'y parvint pas. Jusqu'aux heures longues
du matin, il refit mille fois le parcours qui menait à sa
grotte. Pas un détail ne manquait. Il s'obligea à imaginer la roche sous la neige. Il lui tardait d'y être, de

vérifier ses doutes, de se colleter à cette face réputée impossible par mauvais temps.

Bien avant l'aube, il se leva et s'habilla de chaud. En ranimant les braises, il constata que la fumée peinait à s'élever. C'était signe de brouillard, il le savait.

Ouvrant la porte, il constata que la neige s'était calmée. Seuls quelques flocons virevoltaient encore, esseulés et fragiles. Le brouillard était partout. Installé jusque sur le pas de porte, épais, collant, mouillé d'une haleine glacée et grise.

Adelin mit de la neige à fondre dans un chaudron, sortit une poignée de baies de cynorrhodon d'un cornet de papier et prépara de quoi se réchauffer. Bertille vint le rejoindre, le visage fripé, l'œil bas.

Au début, elle ne dit rien, mâchant son pain à petites bouchées et ne cessant de rouler un brin d'herbe entre ses doigts. Dans un sens, dans l'autre. Elle semblait inquiète, sans dire de quoi. Au bout d'un moment, elle leva les yeux, un peu triste :

— On va partir quand même ?

— Oui, ça neige plus.

Elle ébaucha un pâle sourire. Adelin poursuivit :

— Avec le jour, on pourra s'y repérer. Et puis, toi, tu as déjà fait le chemin.

Elle ne sourit même pas. Avec d'autres mots, Adelin chercha à rassurer, expliquant par où ils allaient passer, où ils pourraient s'abriter si la neige se remettait à tomber. Bertille fit signe qu'elle savait. Et puis, sans prévenir, elle laissa jaillir des mots trop longtemps retenus :

— Et si les gendarmes nous attendaient ?

— Par ce temps ? Tu veux rire.

— Tu sais pas tout, Adelin... souffla-t-elle comme pour appuyer ses dires.

— Comment ça, j'sais pas tout ?

— Y a le commis de Lucienne qu'est comme enragé après toi. Il cherche partout, il est sûr depuis le début que tu as...

Elle ravala le mot « déserté ».

— ... que tu t'es caché quelque part.

— Lui ? Tu parles, j'le connais, c'est un sac de viande. Un coup de canne et je le perce comme de rien, assura Adelin.

— Et les gendarmes, ils peuvent être cachés à la frontière...

Adelin sentit que Bertille souffrait : d'avoir peur, d'avoir froid et plus encore de devoir perdre le peu de bonheur qu'elle avait réussi à sauver. Il se leva pour la couvrir de ses bras, la serra très fort et remonta ses deux mains sur son visage. En la pénétrant du regard, il lui murmura :

— Y ne sont pas d'ici, ces gars-là. Tu les vois en montagne d'un temps pareil avec leurs képis, leurs vareuses à boutons et leur harnachement. Faudrait pas longtemps pour les embrouillasser, c'est moi qui te le dis.

Elle aurait aimé sourire, mais n'y parvint pas.

Leur départ se fit dans le blanc du matin. Une lumière native essayait vainement de percer le brouillard, tentant de s'infiltrer entre les nappes, rebondissant sans cesse contre des murs invisibles. Ici, on appelait cela « jour blanc ».

Bertille et Adelin s'étaient encapuchonnés dans des sacs de toile chauffés à la flamme. Ils allaient en file indienne. Lui, devant, tirant la mule par le bridon, elle, derrière, fermant la marche. Toute la matinée, ils marchèrent, les pieds protégés par leurs gamaches, les mains enfouies au plus profond des poches. A quelques mètres, on ne distinguait d'eux que leur silhouette.

Ils arrivèrent à la nuit tombante à la cabane des Chavonnes. Le froid pinçait fort depuis le milieu de l'après-midi, aux joues, au nez et aux oreilles. La mule fut conduite à l'abri sous un auvent formé d'un treillis de branches et de ronces. A l'intérieur régnait toujours cette pénombre immobile semblable à celle d'une cave. Comme si elle eût été chez elle, Bertille entreprit de pailler le sol pour l'isoler du froid. Elle entassa les sacs dans un coin afin de dégager un peu d'espace.

Ici il n'y avait ni poêle ni cheminée. Allumer un feu à même le sol était impossible. Pas de lampe non plus. A la place, un jour sale qui rampait sous la porte, incapable d'éclairer au-delà du seuil.

Adelin entra. Sa moustache était givrée, constellée de grumeaux blancs accrochés aux poils comme des glaçons à des broussailles. Il s'appliqua plusieurs claques sur les joues pour faire revenir le sang.

— La malchance est en train de tourner, annonça-t-il avec l'assurance de celui qui vient de gagner au jeu.

Une étincelle s'alluma dans le regard de Bertille. Adelin expliqua, le pouce tourné vers la porte :

— Le brouillard s'en va. Avec la lune, on va pouvoir marcher.

— Parce que tu comptes y aller de nuit ?

— Je veux, oui. C'est le seul moment où on ne risque rien. Va nous falloir quand même des torches, ajouta-t-il en cherchant autour de lui.

Il aurait aimé trouver de la poix, de l'étoupe, quelques bonnes branches de résineux. Il se contenta de l'idée de Bertille.

— On peut y faire avec de la toile de sac trempée dans la résine.

— Juste, fit-il, découvrant du même coup qu'il n'y avait pas de quoi allumer de feu pour faire fondre la résine.

Dehors, il déplaça plusieurs pierres plates qu'il réunit en cercle sous les sapins. Il ne fallut pas longtemps pour que s'élevât de la fumée. Des flammèches vite muées en flammes vinrent lécher les branches. Les aiguilles de sapin se tordaient sous la flamme et enflammaient des bûches encore croûtées de neige.

Après avoir coupé plusieurs branches de sapin, Adelin les passa à la flamme puis les entailla à coups de hache. Il garnit les fentes de morceaux de sac qu'il entoura de corde. Avec la chaleur, la résine allait imprégner les fibres. Quatre torches furent préparées, qu'il soupesa plusieurs fois pour être sûr de bien les tenir en main. Satisfait, il les aligna sur les pierres tout près du foyer pour qu'elles continuent de s'imbiber au contact de la chaleur.

Bertille s'était approchée. Accroupie au bord du feu, les mains tendues au-dessus des flammes, elle le regardait, son capuchon en sac sur la tête, sa grosse pelisse sur les épaules.

Dans son regard, il y avait une grande confiance en cet homme qu'elle aimait. Lui ne se souciait que des préparatifs. Il mit de la neige à fondre, jeta dans l'eau ce qui lui restait de baies de cynorrhodon, en emplit sa gourde. Avec des poignées de foin sec, il débarrassa ses brodequins et ses jambières de la neige qui les recouvrait. A un moment, il vérifia les coutures de ses gamaches, se souvenant de la promesse du Vaudois. Les coulées de bougie suivaient les coutures, pareilles à des soudures. Une fois terminé, il confectionna des surguêtres pour Bertille à l'aide de morceaux de sac.

Quand tout fut en ordre, il se redressa. La fatigue ne semblait pas avoir d'effet sur lui. Pour la première fois depuis trois ans, il allait pouvoir se battre pour sauver une vie. L'inverse de ce qu'il avait fait jusqu'à présent. Regardant Bertille, il lui demanda une fois de plus si elle se sentait la force de l'accompagner. Elle fit oui de la tête pour ne pas se déjuger, incapable de savoir pendant combien de temps ses jambes voudraient bien encore la porter.

Ils se mirent en route un peu plus tard. Sous leurs pas, la neige était craquante, signe que le gel était déjà de la partie. Le ciel était moins lourd. Seules quelques traînées laineuses passaient par instants devant la lune, la privant de son halo argenté.

Longtemps, ils marchèrent avant d'atteindre le pied de l'éboulement. En bas, d'immenses rochers montaient la garde, coiffés de blanc. Au sol, une neige épaisse avait gommé le relief, rendant l'endroit moins chaotique.

Ils montèrent encore quelques centaines de mètres en se faufilant entre les blocs. Bertille suivait, les paupières collées de givre, les lèvres fendues par le froid. Elle sentait ses jambes avancer, son corps suivre mais n'était plus tellement certaine que sa volonté y fût pour quelque chose.

Quand la pente devint plus raide, Adelin lui fit signe de s'arrêter. Tous deux soufflèrent un moment, en silence, économisant leurs forces et leurs mots. Puis ils s'encordèrent. Malgré le froid et la fatigue, Bertille se sentait heureuse. La confiance qu'Adelin lui accordait y était pour beaucoup. Le fait d'être à son côté dans l'épreuve lui donnait le courage de continuer Elle ajusta le nœud en tirant plusieurs fois sur la corde. Ses doigts d'ordinaire nerveux et souples étaient maladroits. Elle n'y prêta pas attention, se contentant de renfiler ses moufles déjà mouillées.

A mesure qu'ils avançaient, Adelin retrouvait ses repères. Le couloir et ses amas de rochers, le grand dièdre terminal, les dalles de schiste, tout cela lui revenait sans effort. De mètre en mètre, il prenait confiance. Seul le surplomb l'inquiétait. Il avait beau se souvenir de la manière de le passer, couvert de neige et de glace, il lui paraissait infranchissable.

Il avança encore, s'aidant des mains pour garder l'équilibre. A chaque pas, il enfonçait à mi-jambe, ne sachant jamais ce qu'il y avait sous ses pieds. Les roches branlaient. Il risquait à chaque instant de déclencher une nouvelle coulée de pierres. Sans cesse, il s'arrêtait, tassait du pied et testait la solidité de l'appui avant d'y faire peser son corps.

Bertille en profitait pour reprendre haleine et laisser passer ces vagues de fatigue qu'elle sentait monter en elle. Les jambes, les reins, le dos, elle ne savait plus où était le gros de ses douleurs. Ses pieds lui semblaient lourds, comme étrangers à son corps. A chaque pas, ils hésitaient, trébuchaient, peinant à suivre. Ils n'étaient pourtant pas insensibles. Chaque fois qu'elle les remuait, elle percevait leur mouvement dans l'arrondi de ses brodequins, mais loin, beaucoup plus loin que l'endroit où ils étaient.

La voyant épuisée, Adelin décida de faire une halte à l'abri d'un rocher de la taille d'un fronton. Quatre bons mètres de haut, plusieurs tonnes enfoncées dans le sol. Il s'en souvenait comme d'un repère quand il regardait dans la vallée depuis sa grotte.

Après avoir piétiné la neige pour en faire un socle, il posa un rouleau de corde dessus, fit asseoir Bertille. Elle souriait par habitude. En se rapprochant d'elle, il distingua nettement ses lèvres croûtées de sang et ses yeux blanchis de givre. Les paupières, les cils, même les larmiers étaient encombrés de cristaux blancs.

Sans brusquerie, il enleva ses gants, réchauffa ses doigts dans son souffle et les appliqua sur le visage de Bertille. Elle le regardait sans un geste, le regard immobile cherchant le sien.

— On va se reposer un peu, dit-il.

Elle ne répondit pas.

Il faisait des ronds avec ses pouces autour de ses yeux, puis descendait sur les joues, vers les lèvres qu'il effleurait à peine pour ne pas les faire saigner. Quand il jugea impossible de faire mieux, il se débarrassa de ses musettes pour y chercher sa gourde. Il se souvint du Vaudois qui parlait du cynorrhodon comme d'une plante de vie tant elle regorgeait de bienfaits. Il goûta en premier. La boisson était encore chaude. Bertille but du bout des lèvres en grimaçant des yeux.

L'air était de plus en plus transparent. Effilé, coupant, tendu comme un brin de corde. Partout, le gel était à l'œuvre. Dans les fissures, au creux des roches, sur la croûte de neige, il mordait à petits coups, attendant la pleine nuit pour attaquer à sa guise.

Adelin savait le temps compté. Franchir le surplomb lui semblait encore possible, mais seul. Bertille ne pourrait jamais trouver la force de passer. A mesure qu'il la réchauffait, il échafaudait un plan. Il la fit boire de nouveau, lui cassa en morceaux ce qui restait de pain, la couvrit de sa cape de chanvre. Il n'osait parler, la sachant prompte à réagir. Après quelques hésitations qu'il se reprocha comme autant de temps perdu, il s'accroupit pour lui dire :

— On va faire part à deux, tu veux ?

Elle leva les yeux, surprise.

— Je monte, toi tu m'assures.

Elle ne sut quoi répondre. Lui dans la pente, elle en bas. Cela était contraire à l'idée qu'elle s'était faite de leur union. La proposition était raisonnable, pourtant. Elle le sentait au fond d'elle-même. Alors, avec cet empressement qu'elle mettait d'ordinaire à s'enflammer, elle laissa ses yeux amasser ce qu'ils pouvaient encore de lumière et acquiesça d'un signe de tête.

Adelin la décorda et expliqua par où il allait passer. En parlant, il s'arrêtait sur des détails, rassurait en grossissant les prises, atténuait le risque du dévers. Quand il estima en avoir assez dit, il pointa du doigt l'éperon rocheux où il comptait faire glisser sa corde.

— Si haut ! objecta Bertille.

— C'est à dix mètres à peine.

Elle ne le crut pas mais accepta par lassitude, n'ayant plus la force de s'opposer.

Les premiers mètres furent franchis sans difficulté, presque sans risques. Les prises étaient grosses et solides. De la taille d'un poing. De mémoire, Adelin se souvenait parfaitement de leur emplacement. Il n'avait qu'à tendre le bras et atteignait la bosse qu'il recherchait. Quelques allers-retours de la main pour dégager la neige, et la prise apparaissait. Glacée, glissante, solide malgré tout. Il avança ainsi jusqu'au surplomb. Bertille laissait filer la corde, un peu molle. Mais elle assurait, cela se sentait quand il fallait du mou et que ses mains freinaient subitement, pas très sûres de ce qui se passait.

Adelin sentait la vie bouillir en lui. Plusieurs fois, il s'interrogea sur la fatigue, qui semblait l'avoir oublié. Il savait ses mains et ses bras puissants, ses muscles reconstruits après les milliers de tractions effectuées sur les dalles près de la cabane du Vaudois. Seule la glace l'inquiétait. Ce n'était pas une peur. Tout juste une appréhension comme quand on sait une leçon, mais que l'on craint des oublis en la récitant.

A mesure qu'approchait le surplomb, son cœur prenait du rythme. Pas de l'essoufflement. Seulement des battements plus forts, plus puissants. Il essayait du mieux possible de se décoller de la paroi pour en dégager la neige. Il ratissait d'un bras, puis de l'autre, changeant souvent de position. Son corps répondait en cadence, bien protégé du froid par la vareuse du Vaudois. Seuls son visage, ses mains et ses pieds s'engourdissaient, peu à peu.

En atteignant le surplomb, il eut une intuition bientôt muée en certitude. Son père ne pouvait être là. Il se serait manifesté depuis longtemps. Avant de s'engager sur la pierre, il l'appela. Une première fois à voix retenue. Puis plus fort. Le silence que lui renvoyait sa voix le glaça.

En rampant sur la dalle du surplomb, il le revit le matin de son départ, assis à sa table, le torse raide et le front bas. Il subissait comme un affront de ne pas accompagner son fils. Mais n'avait rien dit, ravalant sa salive et acceptant sa peine.

A l'entrée de la grotte, Adelin demeura couché sur le flanc un bon moment, incapable de bouger. Il avait tout donné pour franchir le surplomb. Ses mains étaient lourdes et glacées, ses jambes raidies par l'effort. Il n'eut pas le courage de pénétrer dans la grotte, tétanisé à l'idée d'être arrivé trop tard. Son esprit fut traversé par une image de corps plat et raide. Ce n'était pas son père, mais un corps anonyme. Sans visage ni matricule. Un visage d'homme mort dont aucune main n'était venue abaisser les paupières.

« Ne pas aimer, se dit-il à regret, faire comme si cela ne me concernait pas. »

Il chercha dans son dos l'une des torches passées dans son ceinturon. Avec beaucoup de tremblements, il parvint à l'enflammer à l'aide de son briquet. Comme Bertille l'avait dit, la toile de sac pétilla très vite, dégageant une fumée âcre qui empestait l'air. Et puis une belle flamme s'enroula autour du bois.

La grotte était vide. Il s'en assura en tenant la torche à bout de bras. La fumée ne le gênait plus, au contraire. La flamme non plus, qui lui léchait pourtant le visage et les sourcils par instants.

Quand il redescendit, il trouva Bertille adossée contre le rocher, la corde enroulée autour du buste comme une suppliciée au pied de la potence. Elle était éveillée, mais son corps dormait déjà.

— Il n'y est pas, dit seulement Adelin, accablé mais sentant au fond de lui comme une étincelle qui ne voulait pas s'éteindre.

Bertille ouvrit les yeux pour dire :

— Je m'en doutais.

— Pourquoi ça ?

— Plusieurs fois, il a parlé des Avoudrues, disant que c'était par là que tu voulais aller le matin de l'éboulement...

La remarque eut sur Adelin l'effet d'un coup de fouet. La mémoire lui revint : le pêle, dans la demi-pénombre, sa mère devant son fourneau qui s'était retournée d'un bloc en l'entendant parler d'aller en montagne, et son père, impassible, taillé dans la pierre, dur comme il ne l'avait jamais vu.

— T'as raison, j'ai dû parler de Pointe Rousse, aussi. J'avais pas l'idée où je voulais aller.

— C'est le même coin, fit Bertille, les yeux tournés vers la pente.

Une fois le ciel dégagé de ses deniers nuages, la lumière de la nuit se haussa d'un ton. La neige brillait d'un scintillement de lune froide. Par places, on distinguait des langues de glace effilées comme des lames, bleutées sur la tranche, grisée à leur base. Adelin ne disait rien, calculant de tête le nombre d'heures pour se rendre aux Avoudrues. Il n'imaginait même pas comment était le glacier en hiver. Les crevasses enfouies sous la neige, toute la surface lustrée et battue par les vents. Les sérac, seuls, devaient émerger, inutiles points de repère délimitant un territoire qu'il ne reconnaîtrait pas.

S'y rendre n'était pas impossible. Il suffisait de redescendre un peu, attraper le pas de Folly et remonter. Quatre heures d'efforts, peut-être plus. Et Bertille qui voudrait sans doute l'accompagner.

Il chercha des raisons de ne pas y aller. Pour chacune d'elles, il pesait les arguments, les risques d'un côté, les bénéfices de l'autre. Sans cesse lui revenait le visage de son père au matin de son départ. Ne jugeant pas, acceptant en silence une décision qu'il ne partageait pas. Bertille le regardait, sans un mot, comprenant le combat qu'il menait. Elle aurait voulu l'aider, mais se savait impuissante pour ces décisions-là. Quand il hocha la tête, elle comprit qu'il allait parler.

— En faisant vite, j'peux y être avant le matin, toi t'auras qu'à m'attendre à la cabane des Chavonnes.

Elle dit non. De la tête d'abord, avec des mots ensuite. Ce n'était pas un refus de petite fille têtue, seulement la certitude d'une femme qui savait qu'en se séparant ils mettaient l'un et l'autre leur vie en péril. Si on lui avait demandé de dire pourquoi, elle aurait été bien en peine de l'expliquer. Elle le sentait, elle le savait. Sans en dire davantage, elle se leva et lança :

— Et puis j'ai des plantes dans ma besace, on peut en avoir besoin pour le soigner.

Ils se mirent en route aussitôt. Le froid n'avait plus de retenue, il mordait partout. Le nez, les yeux, les lèvres et le menton semblaient rigides et insensibles, comme transformés en carton. Les doigts pesaient dans les moufles. L'un et l'autre avaient beau les remuer souvent, lever les mains pour faire circuler le sang, les chairs s'engourdissaient.

La montée vers Folly leur parut moins dangereuse que prévu. Adelin allait devant, creusant des marches à coups de brodequin, sabotant parfois jusqu'à mi-cuisse. Un seul pas lui valait quatre ou cinq mouvements. Quand il estimait la neige suffisamment tassée, il tirait la corde à lui pour faire progresser Bertille d'un pas ou deux. Et sans cesse il recommençait, appuyé d'une main sur la canne du Vaudois, l'autre faisant balancier pour garder l'équilibre. Tous les vingt pas, il levait les yeux vers la pente. A portée de vue, un grand ressaut blanc barrait le ciel bleu nuit. Arrondi, lourd comme un édredon, il était bien la preuve que la pente se finissait là-haut et basculait de l'autre côté. Vers le lac des Chambres et le glacier des Avoudrues.

Plus de quatre heures leur furent nécessaires pour y parvenir. De leur visage hérissé de givre, seuls les yeux émergeaient. Brillants, éclairés par la lumière froide de la lune.

Pour atteindre le glacier, il fallut marcher encore et encore. Avec cet automatisme propre à tout supporter, les jambes avançaient, raides des orteils aux genoux. Les bras balançaient en cadence ou à contretemps. Et les corps enduraient tout, n'ayant plus la force de refuser.

Plusieurs fois, Adelin releva la tête pour tenter de s'y retrouver dans cet entrelacs de bosses et de creux. A part l'orientation dont il se souvenait et la forme générale du glacier, le reste lui était étranger. Il avança pourtant sans hésiter. Il se souvenait d'une sorte de mur naturel taillé dans la moraine, formant comme une grosse marche. Plusieurs fois, il s'y était arrêté avec son père pour fixer sous leurs brodequins des grèpes à trois dents. En s'approchant, il força des yeux. Le bourrelet s'étirait, arrondi, alourdi par la neige. A un endroit, le vent avait élevé des congères, toutes orientées dans le même sens. On eût dit les persiennes d'un volet tant elles semblaient régulières.

Adelin avança de biais, faisant signe à Bertille de l'assurer. Au second pas, il s'arrêta. Son corps hésita un instant puis s'élança vers la glace. Durant une seconde d'une interminable brièveté, il venait de reconnaître un empilement de blocs qui ne devait rien à la puissance du vent. Devant, des branches posées en faisceau attestaient d'une présence humaine. Bertille avait vu aussi. Elle souriait un peu, pas encore sûre de pouvoir laisser jaillir sa joie.

Dans un même geste, Adelin se débarrassa de sa

musette et de sa corde, laissa sa canne fichée dans la neige et se précipita vers l'abri.

A l'intérieur, un reste de feu se consumait sur un lit de pierres arrachées à la moraine. Et presque couché sur les braises, un corps dormait, recroquevillé sur un matelas de branches.

Adelin reconnut la veste, les brodequins, le chapeau à large bord rabattu sur le visage. Son père était là, à l'attendre depuis quatre jours et autant de nuits.

Il s'agenouilla et, comme il l'avait vu faire dans les postes de secours, glissa deux doigts sous le col de la chemise. La peau était glacée. Ferme pourtant. Il pressa un peu la jugulaire, priant, suppliant qu'il ne fût pas trop tard. Quand le corps bougea, il prononça en même temps que Bertille le même mot : merci.

Il fallut longtemps au père d'Adelin pour s'extirper de son sommeil. Appuyé sur un coude, il peinait à déglutir et plus encore à comprendre ce qui l'avait réveillé. Quand il vit Adelin, il ne le reconnut pas et crut parler à Jean Foron :

— Laisse-moi encore un jour ou deux, j'te dis qu'il est caché dans une crevasse. Avec la neige, il va ressortir.

Adelin sentit ses yeux le brûler sous la croûte ae glace. Et dans un geste qu'il n'avait jamais osé faire, approcha la main du visage de son père.

— Je suis revenu, dit-il en lui frictionnant la nuque et les joues couvertes d'une broussaille piquante.

Le vieil homme mit un temps à émerger de son brouillard glacé. Il hésita à parler, se croyant endormi ou mort déjà.

— Adelin, demanda-t-il d'une voix chevrotante, c'est toi qu'es revenu ?

— Oui, confirma Adelin, ne le lâchant pas, les mains nouées dans son dos pour le soutenir. Je suis avec Bertille. Elle va passer à la ferme pour dire qu'on t'a retrouvé et puis après on te conduira chez le Vaudois.

— Quel Vaudois ? demanda le père d'Adelin, signe qu'il comprenait.

— C'est l'homme qui m'a ramené à la vie. Y soigne les corps et les âmes en même temps.

— Ah, fit le vieil homme, toujours soutenu par les bras de son fils. Je ne m'étais donc pas trompé, la lumière dans la grotte, c'était bien toi ?

— Oui, souffla Adelin.

Et à ce moment, il sentit les gros doigts de son père se refermer sur son bras. Cette fois, il en était certain, son père savait pleurer avec les mains.

PRODUCTION JEANNINE BALLAND

Romans « Terres de France »

Jean Anglade
Un parrain de cendre
Le Jardin de Mercure
Y a pas d'bon Dieu
La Soupe à la fourchette
Un lit d'aubépine
La Maîtresse au piquet
Le Saintier
Le Grillon vert
La Fille aux orages
Un souper de neige
Les Puysatiers
Dans le secret des roseaux
La Rose et le Lilas
Avec le temps...
L'Ecureuil des vignes
Une étrange entreprise
Sylvie Anne
Mélie de Sept-Vents
Le Secret des chênes
La Couze
Ciel d'orage sur Donzenac
La Maîtresse du corroyeur
Un horloger bien tranquille
Jean-Jacques Antier
Autant en apporte la mer
Marie-Paul Armand
La Poussière des corons
Le Vent de la haine
Le Pain rouge
La Courée
   tome I La Courée
   tome II Louise
   tome III Benoît
La Maîtresse d'école
La Cense aux alouettes
Nouvelles du Nord
L'Enfance perdue
Un bouquet de dentelle
Au bonheur du matin
Le Cri du héron

Victor Bastien
Retour au Letsing
Henriette Bernier
L'Enfant de l'autre
L'Or blanc des pâturages
Françoise Bourdon
La Forge au Loup
La Cour aux paons
Le Bois de lune
Le Maître ardoisier
Les Tisserands de la Licorne
Patrick Breuzé
Le Silence des glaces
Nathalie de Broc
Le Patriarche du Bélon
La Dame des forges
Annie Bruel
La Colline des contrebandiers
Le Mas des oliviers
Les Géants de pierre
Marie-Marseille
Jean du Casteloun
Les Amants de Malpasset
Michel Caffier
Le Hameau des mirabelliers
La Péniche Saint-Nicolas
Les Enfants du Flot
La Berline du roi Stanislas
La Plume d'or du drapier
Jean-Pierre Chabrol
La Banquise
Alice Collignon
Un parfum de cuir
Didier Cornaille
Les Labours d'hiver
Les Terres abandonnées
La Croix de Fourche
Etrangers à la terre
L'Héritage de Ludovic Grollier
L'Alambic

Récits « Terres de France »

Collection « Sud Lointain »

Romans

Composé par Nord Compo
à Villeneuve-d'Ascq

Achevé d'imprimer sur les presses de

BUSSIÈRE
GROUPE CPI

à Saint-Amand-Montrond (Cher)
en octobre 2005

N° d'édition : 7307. — N° d'impression : 053710/1.
Dépôt légal : octobre 2005.

Imprimé en France